LE YOGA

du corps et de l'esprit

LE YOGA

du corps et de l'esprit

Centre Sivananda de Yoga Vedanta

SolaR
ESPACE

NOTE Les informations et opinions exprimées dans cet ouvrage sont celles
du Centre Sivananda de Yoga Vedanta et reflètent sa philosophie personnelle

© 1996, Dorling Kindersley Limited, pour l'édition originale
© 1996, Centre Sivananda Yoga Vedanta, pour les textes originaux
© 1997, Éditions Solar, Paris, pour la version française

Titre original de cet ouvrage
YOGA–MIND & BODY

Traduction-adaptation
ODILE RICKLIN

ISBN 2-263-02562-6
Code éditeur : S02562
Dépôt légal : septembre 1997

Photocomposition : Nord Compo, Villeneuve-d'Ascq
Imprimé en Italie

CHEZ LE MÊME ÉDITEUR
Le Grand Livre du stretching
Le Stretching
Le Yoga pour tous

Photocomposition: Nord Compo, Villeneuve-d'Ascq
Impression et reliure: Artes Gráficas Toledo, S.A.
D.L.TO:785-1997

SOMMAIRE

QU'EST-CE QUE LE YOGA ?

Le yoga est une hygiène de vie, un système d'éducation du corps, de la pensée et de la vie intérieure. Cet art du bien-vivre est né en Inde il y a des milliers d'années ; toutefois, dans la mesure où le yoga touche aux vérités universelles, ses enseignements conservent aujourd'hui toute leur validité. Le yoga n'est pas une religion, mais il apporte une aide pratique, et ses techniques peuvent être pratiquées indifféremment par tous. Le yoga apprend à tout individu à évoluer harmonieusement, quelles que soient ses convictions.

LA SYNTHÈSE DU YOGA

Le yoga a développé au fil des siècles plusieurs voies (Karma, Jnana, Bhakti et Raja), souvent assimilées à quatre des branches d'un banian – ce figuier sacré de l'Inde dont les racines aériennes semblent descendre du Ciel vers la Terre. Du fait que chaque individu est doté d'une personnalité distincte, il peut préférer une voie à une autre, mais il lui est déconseillé de privilégier l'une d'elles aux dépens des autres, ce qui entraînerait un grand déséquilibre de son être tout entier. Le corps et l'esprit doivent se former conjointement, de sorte qu'il est recommandé d'opérer une synthèse des quatre grandes voies du yoga. L'idéal consiste à opter pour une sadhana (pratique spirituelle) donnée, tout en empruntant aux techniques de toutes les voies.

LE BANIAN
« Avec sa source originelle au-dessus et ses branches qui s'étendent au-dessous, le banian est dit éternel et impérissable. »
Bhagavad Gita, *15-1*

LA VOIE ACTIVE - *KARMA YOGA*

Le Karma Yoga est la voie qui permet le plus rapidement à l'esprit de se purifier et ainsi de transcender ses limites. Le Karma yogi pratique des exercices physiques et mentaux intensifs, dans le but de se libérer de son ego et de ses contraintes, de servir l'humanité sans rien attendre en retour, de réaliser l'unité dans la diversité. Ainsi réussit-il à se mettre en accord avec l'essence divine qui réside au cœur de chaque être vivant. Le Karma Yoga convient particulièrement bien à ceux qui ont un tempérament actif. Il implique que l'individu effectue, à un niveau spirituel, un travail en liaison avec le monde extérieur et qu'il donne beaucoup de lui-même.

TRAVAIL ET MÉDITATION
Beaucoup de gens affirment manquer de temps ou de goût pour la pratique des asanas et la méditation. Dans le Karma Yoga, le travail lui-même, à condition d'être accompli dans l'état d'esprit approprié, peut constituer un entraînement au yoga.

LA VOIE PHILOSOPHIQUE - *JNANA YOGA*

Cette approche philosophique ou intellectuelle de l'évolution spirituelle décrit le monde extérieur comme une illusion. Le Jnana Yoga utilise les deux très puissantes techniques spirituelles que sont Viveka (le discernement) et Vairagya (le détachement) pour lever les voiles de l'illusion, ou Maya. Souvent considérée comme la plus ardue, cette voie exige un esprit clair et pénétrant.

LES PREMIERS TEXTES
Les écrits concernant la philosophie du Jnana Yoga, ou Vedanta, furent rédigés à l'origine sur des feuilles de palmier.

LA VOIE DE LA DÉVOTION - *BHAKTI YOGA*

Le Bhakti Yoga s'adresse tout particulièrement aux natures émotives. Étant donné que les émotions ne peuvent être réprimées en permanence, cette voie enseigne la façon de les sublimer. L'énergie émotionnelle se trouve ainsi canalisée à travers des pratiques telles que les chants, la prière et la répétition d'un mantra (formule sacrée). Les passions – colère, haine et jalousie – sont orientées dans une direction positive, et l'amour humain est transformé en amour divin. Le Bhakti s'efforce de voir Dieu en tout.

LA POSITION DE LA PRIÈRE
La position de la Prière, ou Surya Namaskar, symbolise l'union de l'âme avec Dieu. On retrouve dans toutes les grandes religions ce concept de réunion de l'âme individuelle avec l'Absolu par la dévotion, ou bhakti.

LA VOIE DE LA CONNAISSANCE – *RAJA YOGA*

Sans en être conscient, l'individu dispose de ressources mentales et psychiques qu'il n'exploite que très modérément. Afin de libérer ce potentiel, le Raja Yoga préconise une approche psychologique, qui est fondée sur une technique de concentration et de contrôle de la pensée. Le résultat passe par une maîtrise des sens, du souffle, des postures – une bonne santé et une hygiène de vie saine jouant également un grand rôle. Seules ces bases solides permettent la concentration et la méditation. Le Hatha Yoga est une forme de Raja Yoga qui met l'accent sur les asanas et le pranayama. Il n'est point de yoga sans les yamas, niyamas et les étapes décrites ci-dessous.

LES ASANAS
Ces postures de base constituent des éléments importants dans la pratique du Raja Yoga.

LES HUIT ÉTAPES DU RAJA YOGA

Par l'observation scientifique et objective de leurs pensées, les premiers yogis ont étudié les nombreux obstacles qui se dressent sur la voie du contrôle de l'esprit. Le sage Pantajali a rassemblé les fruits de leur quête dans les *Raja Yoga Sutras,* un texte qui décrit le travail intérieur à opérer et qui propose un cheminement en huit étapes (ashtanga), à l'issue desquelles le yogi accédera à la sérénité et à la paix intérieure.

8. *SAMADHI*
7. *DHYANA*
6. *DHARANA*
5. *PRATYAHARA*
4. *PRANAYAMA*
3. *ASANAS*
2. *NIYAMAS*
1. *YAMAS*

LES HUIT MEMBRES
1. *Yamas (restrictions) – vérité, non-violence, contrôle de l'énergie sexuelle, abstention de vol, non-possessivité.*
2. *Niyamas (règles de conduite) – austérité, pureté, contentement, étude des textes sacrés, renoncement à l'ego.*
3. *Asanas – postures du yoga.*
4. *Pranayama – contrôle du souffle.*
5. *Pratyahara – repli des sens.*
6. *Dharana – concentration de l'esprit.*
7. *Dhyana – méditation.* **8.** *Samadhi – état de supra-conscience.*

LES TROIS CORPS

À la question de savoir si notre corps recèle une âme, le yogi répond sans hésiter : « Je suis une âme qui occupe un corps. » Le yoga en tant que philosophie considère le corps comme le véhicule qu'emprunte l'âme pour atteindre l'Illumination. Ce corps n'est pas unique, mais triple, chacune de ses enveloppes étant plus subtile que la précédente.

1. LE CORPS PHYSIQUE

En sanskrit, le corps physique prend le nom d'*Annamaya Kosha*, « enveloppe alimentaire ». Ce corps dense et visible naît et se développe ; lorsqu'il meurt, ses composants rejoignent la terre et réintègrent alors la chaîne alimentaire. En considérant seulement toute l'attention que portent les yogis à leur corps physique, l'observateur pourrait voir dans le yoga une glorification du corps, alors que le but poursuivi est de placer l'enveloppe physique sous le contrôle de l'esprit – l'un et l'autre pouvant alors servir des intentions spirituelles plus élevées. Quelle que soit la tâche entreprise, elle exige un corps physique bien entretenu.

Les émotions s'enracinent dans les impressions karmiques des vies antérieures, qui atteignent le corps physique par le biais du corps astral

△ L'ENVELOPPE ALIMENTAIRE
« De même qu'un homme se dépouille de ses vêtements usagés pour en revêtir d'autres, le Soi incarné abandonne les corps usés pour de nouveaux. » Bhagavad Gita, 2-22

● 1. L'ENVELOPPE ALIMENTAIRE
Le corps physique est constitué d'une seule strate : l'enveloppe alimentaire.

3. LE CORPS CAUSAL

De même que la graine et le bulbe contiennent en germe l'épure de la future plante, le corps astral – ou *Karana Sharira* en sanskrit – emmagasine les impressions sous la forme du karma. Ces impressions subtiles contrôlent la formation et le développement des deux autres corps et déterminent aussi chacun des aspects de l'incarnation suivante. À l'instant de la mort, le corps astral et le corps causal se séparent du corps physique.

LE KARMA △
De même qu'un bulbe contient les données nécessaires à la croissance de la plante, le corps causal est le siège du karma : l'ensemble des impressions subtiles laissées par ce que l'on a vécu dans sa vie présente et dans les précédentes. Ni destin ni fatalité, le karma est la résultante de nos actions passées.

•3. L'ENVELOPPE DES ÉMOTIONS
Le corps causal ne compte qu'une strate, l'Anandamaya Kosha, qui est le siège de la joie et du bonheur.

•2C. L'ENVELOPPE INTELLECTUELLE
Vijnanamaya Kosha du corps astral, elle est le lieu de la décision. C'est aussi le siège de l'ego – le sens de qui je crois être.

•2B. L'ENVELOPPE MENTALE
Deuxième strate du corps astral, ou Manamaya Kosha, elle est le siège de la pensée, du doute, de la joie de vivre, de la dépression et de la désillusion.

•2A. L'ENVELOPPE PRANIQUE
Première strate du corps astral, appelée Pranamaya Kosha, elle est le siège des sensations, telles que le chaud, le froid, la faim et la soif.

L'AJNA CHAKRA ▷
Centres d'énergie du corps astral, les chakras ont leur siège dans l'enveloppe pranique. L'Ajna chakra, ou « troisième œil », est situé entre les sourcils.

2. LE CORPS ASTRAL

Tout être vivant possède un corps astral, relié au corps physique par un lien subtil qu'emprunte le flux vital. Quand ce lien est rompu, le corps astral se sépare de l'enveloppe physique et le corps meurt. Le corps astral se compose de trois strates.

A. L'ENVELOPPE PRANIQUE, plus subtile que l'enveloppe alimentaire mais de forme similaire, est souvent appelée double éthérique. Elle se compose de quelque 72 000 nadis – conduits à travers lesquels circule le prana, ou énergie vitale.

B. L'ENVELOPPE MENTALE, siège de la pensée automatique, de l'instinct et du subconscient, est le lieu où s'élaborent les automatismes qui régissent la vie quotidienne. Elle est en permanence assaillie par les données que recueillent les cinq sens.

C. L'ENVELOPPE INTELLECTUELLE est le siège de la décision et de la différenciation ; l'intellect contrôlant et dirigeant l'action.

LA VOIE DE LA PAIX INTÉRIEURE

LE SYMBOLE OM

Le yoga est une autodiscipline fondée sur le précepte suivant : « Une vie simple et une pensée élevée. » Les yogis d'autrefois considéraient le corps comme le véhicule de l'âme, et cette métaphore conserve sa validité dans la société moderne. De même qu'on n'imagine pas une voiture sans une batterie, un circuit de refroidissement, un carburant approprié et un conducteur, le fonctionnement harmonieux du corps est soumis à un certain nombre de conditions.

LES POSTURES – *ASANAS*

Par de lents étirements, les exercices de yoga, ou asanas (voir pp. 14-105), sollicitent articulations, muscles, ligaments et tendons. Les asanas stimulent le système nerveux, améliorent la circulation sanguine, soulagent les tensions et assouplissent le corps. Exécutés lentement et dans la détente, ils ne se limitent pas à l'entretien physique, ils contribuent également à accroître les facultés mentales. Les asanas constituent la troisième étape – ou membre – du Raja Yoga.

△ LE CROISSANT DE LUNE
Un bon exemple de flexion arrière. Cet exercice fortifie et assouplit la colonne vertébrale.

LE CONTRÔLE DE LA RESPIRATION – *PRANAYAMA*

La respiration profonde contribue à purifier et à nourrir le corps. L'inspiration prolongée provoque un afflux d'oxygène – élément indispensable au renouvellement des cellules de l'organisme. Les toxines sont ensuite évacuées lors de l'expiration (voir pp. 108-109). Par ailleurs, la respiration fait le lien entre l'organisme et sa « batterie », le plexus solaire, où se trouve emmagasinée une grande quantité d'énergie. Le pranayama permet ainsi de libérer la force vitale, ou prana, qui sert à la régénération physique et mentale (voir pp. 110-113).

◁ CHAKRAS ET NADIS
Points d'insersection des 72 000 nadis que compte le corps astral, les chakras sont les centres d'énergie de ce corps. Le pranayama contribue à purifier et à fortifier chakras et nadis.

LA RELAXATION

Trop solliciter l'organisme et le mental nuit à leur bon fonctionnement. Aussi le repos et la relaxation permettent-ils au corps de se recharger, ou de se « refroidir », à l'image du liquide d'un radiateur de voiture. Le yoga propose des méthodes (voir pp. 118-121) visant à obtenir une détente totale des muscles et du mental.

LA SANTÉ PAR L'ALIMENTATION ▷
Simple, naturel et digeste, ce plat apporte à l'organisme les nutriments dont il a besoin.

LE RÉGIME VÉGÉTARIEN

Ne pas manger de viande peut permettre à l'organisme de tirer un bien meilleur profit de la nourriture, de l'air et de la lumière. Le régime du yogi (voir pp. 124-151) se compose d'aliments très digestes garantissant un bon équilibre. Il s'agit d'aliments simples, naturels et complets, n'entravant pas l'action qu'a la nourriture sur le mental et le corps astral. Ceux qui adoptent ce régime se trouvent généralement dans un état de santé, d'activité intellectuelle et de sérénité très satisfaisant.

PENSÉE POSITIVE ET MÉDITATION

À l'image d'un véhicule qui doit être piloté par un conducteur avisé, l'organisme a besoin du contrôle d'un esprit équilibré. C'est le but vers lequel tend la méditation régulière (voir pp. 156-161) ; les idées en ressortent plus claires et la concentration en est améliorée. La pensée positive (voir pp. 154-155) purifie le mental, et conduit à la sagesse et à la paix intérieure.

LES AIDES À LA MÉDITATION △
Japa Mala (chapelet de 108 grains) et bougie font partie des objets qui facilitent la pratique de la méditation.

LES EXERCICES

« *Les asanas constituent la première étape du Hatha Yoga et sont donc les premiers abordés. Celui qui pratique les asanas a un corps ferme, en bonne santé et des membres légers.* »
Hatha Yoga Pradipika, 1-19

QUEL TYPE D'EXERCICE ?

Il existe différents types d'exercice physique, mais les asanas (d'un terme sanskrit signifiant « posture stable ») apparaissent comme les plus complets. N'agissant pas seulement sur le corps proprement dit, ceux-ci facilitent la respiration, aident à la décontraction musculaire et à la concentration mentale.

LES ASANAS

Les asanas ont pour but la bonne santé de l'individu, à savoir son bien-être physique et mental. La santé peut se définir comme un état éprouvé et dans lequel les organes fonctionnent harmonieusement sous le contrôle de l'esprit. Or, les asanas ont l'extraordinaire capacité de régénérer l'individu et d'assurer son équilibre. En effet, ils agissent non seulement sur le corps physique mais également sur le corps astral.

LES BIENFAITS DES ASANAS

▶ LES BIENFAITS PHYSIQUES : « On a l'âge de sa colonne vertébrale », dit-on. Les asanas ont pour but premier de conserver sa souplesse à la colonne vertébrale, de tonifier et de régénérer le système nerveux. Exécutés en douceur, étirements, torsions et flexions assouplissent muscles et articulations, assurent un massage des organes. La circulation est améliorée, assurant ainsi une bonne distribution des nutriments et de l'oxygène.
▶ LES BIENFAITS MENTAUX : toutes les postures libèrent l'esprit des diverses perturbations générées par le mouvement ; elles apaisent, procurent l'équilibre émotionnel et améliorent la perspective sous laquelle on considère l'existence.
▶ LES BIENFAITS PRANIQUES : les asanas jouent à peu près le même rôle que l'acupuncture ou le shiatsu, sinon que le processus d'équilibrage pranique est plus subtil. Les bienfaits des asanas ne se manifestent qu'après un certain temps de pratique, mais ils sont ensuite plus durables.

LES BIENFAITS PHYSIQUES •
La pratique régulière des asanas améliore le fonctionnement de toutes les parties du corps.

LES BIENFAITS MENTAUX •
Nombreux sont ceux qui pensent que les asanas ont été créés à l'origine pour favoriser la concentration, aidant ainsi à la méditation.

LES BIENFAITS PRANIQUES •
Les asanas accroissent la quantité d'énergie pranique, laquelle devient disponible pour stimuler le potentiel spirituel.

12

LE TRIANGLE

Trikonasana

Dernier des 12 asanas de base, le Triangle réalise un excellent étirement latéral de la colonne vertébrale. Pratiqué très régulièrement, il renforce les effets des autres postures et procure une agréable sensation de légèreté.

LES BIENFAITS PHYSIQUES
▶ Cette posture étire les muscles du dos et du tronc.
▶ Elle masse et stimule les organes abdominaux.
▶ Elle améliore le transit intestinal.
▶ Elle favorise l'appétit.
▶ Elle assouplit hanches, colonne vertébrale, jambes.
▶ Elle stimule la circulation sanguine.
▶ Elle est particulièrement conseillée à ceux dont une jambe est plus courte que l'autre suite à une fracture de la hanche ou du fémur.
▶ Elle soulage le mal de dos et les douleurs de la menstruation.

LES BIENFAITS MENTAUX
▶ Elle soulage l'anxiété et l'hypocondrie.
▶ Elle réduit le stress.

LES BIENFAITS PRANIQUES
▶ Elle stimule bien la circulation pranique dans les méridiens de la rate, du foie, du côlon, de la vésicule biliaire, de l'intestin grêle et du cœur.
▶ Elle équilibre l'énergie et donne l'impulsion au processus de purification des nadis amorcé par les autres asanas.

Tête, poitrine et colonne vertébrale sont bien droites, tout le corps est orienté vers l'avant

Le bras droit se tend à la verticale, comme si le mouvement était déclenché à partir de la taille

Les bras, le long du corps, sont décontractés

Les jambes sont tendues mais décontractées

Le tronc ne doit pas pencher vers l'avant

Le bras gauche, décontracté, reste le long du corps

1 Placez-vous debout, la tête et le corps bien droits, et les pieds écartés de 1 m environ. Répartissez également le poids du corps sur les deux pieds.

2 Inspirez et levez le plus haut possible le bras droit en le maintenant collé à l'oreille, de façon à étirer tout le côté.

100

LE YOGA POUR QUI ?

Quels que soient son sexe, son âge ou ses aptitudes physiques, n'importe qui peut pratiquer le yoga. Même si celui-ci améliore notablement la concentration intellectuelle, réduit le stress et aide l'individu à profiter pleinement de son temps libre, il vaut mieux toutefois consulter préalablement un médecin si l'on souffre d'une affection spécifique, car le yoga ne doit jamais être considéré comme un substitut aux soins médicaux.

ASANAS ET VARIANTES

Les asanas de base sont au nombre de 12, numérotés suivant une progression donnée. Ils sont exécutés ci-dessous par Shambu. Il faut attendre de les maîtriser parfaitement pour aborder les variantes et les postures plus élaborées que montre Amba (à droite). D'autres postures sont présentées par Rhadika.

LES EXERCICES

LE TRIANGLE *Variantes*

Les variantes du Triangle proposées ici réalisent également un étirement latéral complet, ce qui assouplit le dos et contribue à conserver à l'individu une allure jeune.

VARIANTE 1
Cet asana introduit dans le Triangle une flexion avant, laquelle permet un type différent d'étirement.

Les jambes sont tendues sans se tenir décontractées.

Le pied droit forme un angle droit avec le pied gauche, tourné vers l'extérieur.

1 ◁ Debout, pieds écartés de 1 m environ, tournez le

Les bras sont levés sans plier les coudes.

La tête reste dans le prolongement de la colonne vertébrale.

Les mains sont croisées souplement.

2 Penchez-vous en avant en expirant et allez porter le front sur le genou gauche. Levez les bras le plus haut possible. Tenez la posture d'abord pendant une demi-minute, puis jusqu'à 1 minute. Inspirez en reprenant la position de départ. Changez de côté.

VARIANTE 3
Cette posture en lente étirement étire le corps de manière très complète. Elle doit être pratiquée des deux côtés.

Le corps est parfaitement droit, il ne doit pas pencher d'un côté lorsque le genou est plié.

Le pied droit repose à plat sur le sol.

1 ◁ Debout, les pieds écartés de 1 m environ, tournez le pied gauche vers l'extérieur et pliez le genou gauche. Tendez les bras à l'horizontale, à hauteur des épaules.

Le corps forme une ligne droite de l'extrémité des doigts.

La cuisse gauche est parallèle au sol.

Les bras sont tendus.

2 △ Posez la main droite contre l'intérieur du pied gauche. Levez le bras droit contre l'oreille. Tenez durant 10 secondes, puis 1 minute.

La tête et la poitrine sont bien droites.

Les bras sont tendus dans le prolongement des épaules.

2 Expirez en allant poser la tête au sol contre le talon du pied gauche. Tenez la posture 10 secondes en respirant très régulièrement. Passez progressivement à 1 minute. Reprenez la position de départ, puis amenez la tête contre le pied droit.

VARIANTE 4
Cette variante, apparemment simple, requiert une grande souplesse du buste et des épaules. Veillez au bon alignement des bras et du buste.

Le genou gauche est plié, la cuisse est parallèle au sol.

genou droit est tendu, les pieds ment à plat sur le sol, le pied droit doit pas pivoter vers l'intérieur.

Les jambes sont tendues.

1 ◁ Debout, les pieds écartés de 1 m environ, tendez les bras à l'horizontale.

Les bras sont tendus dans le prolongement des épaules.

2 ▽ En déclenchant le mouvement de flexion à partir de la hanche, allez poser la main droite contre l'extérieur du pied gauche épaules, poitrine et bras sont alignés. Levez les yeux vers votre main gauche. Tenez au moins 10 secondes, puis changez de côté.

Bras droit et bras gauche forment une ligne droite.

101

103

LE TRIANGLE

LE PRINCIPAL BIENFAIT

Le Triangle réalise un étirement latéral complet du corps. La posture mobilise la quasi-totalité des muscles, notamment ceux des chevilles, des jambes, des hanches et des bras.

Cet exercice étire tous les muscles latéraux, des pieds jusqu'au bout des doigts

Le bras droit est étiré, collé à l'oreille

Les yeux regardent droit devant

LES PRINCIPAUX DÉFAUTS

► L'un des genoux (ou les deux) est plié.

► Le corps est penché vers l'avant ou l'arrière.

► Le coude du bras levé est plié.

► La tête penche en avant.

► Le poids du corps est inégalement réparti sur les jambes.

► Le bras baissé fait porter le poids du corps sur la cuisse.

► Le regard fixe le sol.

Dans l'expiration, faites glisser le bras gauche le g de la jambe gauche aussi que possible. Tenez osition en respirant ulièrement, d'abord secondes, puis qu'à 1 minute. lressez-vous recommencez ercice de l'autre é. Répétez deux nq fois de que côté.

Le corps ne doit pas pivoter

La main gauche glisse sans effort le long de la jambe ; imaginez-vous essayant de saisir la cheville

La main fait ici porter le poids du corps sur la cuisse

LE MODE D'EMPLOI DU PROGRAMME

Les 12 asanas de base, ainsi que la Salutation au Soleil, doivent figurer dans toutes les séances. Le débutant doit pratiquer ces exercices jusqu'à les maîtriser parfaitement avant d'aborder les variantes. Tout étirement doit être compensé par sa contre-posture. Chaque séance doit débuter par 5 minutes au moins et s'achever par 10 minutes de relaxation, et introduire une décontraction entre chaque asana. Les mouvements doivent être lents et exécutés dans le respect de l'ordre indiqué.

Il ne faut pas forcer son corps à adopter des postures pour lesquelles il n'est pas préparé. Certains asanas exigent un type spécifique de respiration ; en l'absence d'indications, le pratiquant doit respirer normalement.

Les vêtements doivent être en coton

La liberté de mouvement exige des vêtements amples

LA TENUE ▷

Choisissez des vêtements amples et confortables, qui n'entravent pas les mouvements, de préférence en coton, lequel laisse mieux respirer le corps que les matières synthétiques.

Les asanas se pratiquent généralement pieds nus

◁ UN ŒIL COMPÉTENT

Cet ouvrage est une introduction au yoga. Aussi est-il conseillé de faire appel à un professeur qualifié, à même de corriger vos postures et de vous faire progresser, mettant à profit dans son enseignement l'expérience directe. Votre choix se portera de préférence sur un professeur qui pratique très régulièrement le yoga.

LES EXERCICES PRÉPARATOIRES

Le corps et l'esprit fonctionnent d'autant mieux qu'ils sont détendus. Vous ferez donc précéder votre séance d'asanas par 5 minutes de relaxation complète. Si vous avez froid dans la Posture du Cadavre ou dans la Posture Facile, réchauffez-vous à l'aide d'une couverture.

LA POSTURE DU CADAVRE

Sarvasana

Allongez-vous sur le dos, bras et jambes écartés, yeux fermés. Secouez les épaules pour éliminer d'éventuelles tensions. Basculez lentement la tête de gauche à droite, une ou deux fois, jusqu'à poser l'oreille sur le sol. Ramenez la tête au centre et concentrez-vous sur votre respiration.

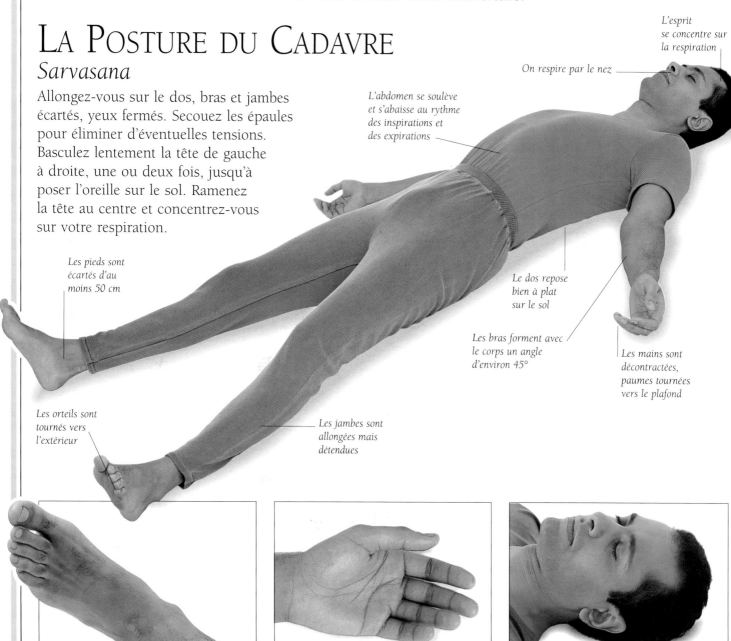

L'esprit se concentre sur la respiration

On respire par le nez

L'abdomen se soulève et s'abaisse au rythme des inspirations et des expirations

Les pieds sont écartés d'au moins 50 cm

Le dos repose bien à plat sur le sol

Les bras forment avec le corps un angle d'environ 45°

Les mains sont décontractées, paumes tournées vers le plafond

Les orteils sont tournés vers l'extérieur

Les jambes sont allongées mais détendues

1 Vos pieds sont écartés de 50 cm, vos jambes allongées mais décontractées, vos orteils tournés vers l'extérieur.

2 Vos bras font un angle d'environ 45° avec le corps ; vos mains sont détendues, paumes vers le plafond.

3 Fermez les yeux, respirez par le nez et faites le vide pour vous concentrer exclusivement sur votre respiration.

LA POSTURE FACILE
Sukasana

En guise de préparation aux exercices de respiration, des yeux et de la nuque, asseyez-vous, jambes croisées. Il s'agit là d'une posture stable et solide, qui, en même temps, facilite le contrôle de l'énergie.

La tête est droite

Le menton est parallèle au sol

Les épaules sont droites, mais décontractées

UNE BONNE ASSISE
On peut conseiller de s'asseoir sur un coussin, pour éliminer la tension des genoux et du dos.

Le dos est droit

Le dos de la main repose sur le genou

Les extrémités du pouce et de l'index sont soudées dans la position du Chin Mudra (voir ci-dessous)

Les jambes sont croisées

CHIN MUDRA
Dans cette position traditionnelle, le pouce et l'index se rejoignent.

POSITION DES MAINS 1
Les doigts sont croisés, souplement. Les bras reposent sur les cuisses.

POSITION DES MAINS 2
Les mains sont posées l'une sur l'autre sur les cuisses, paumes vers le plafond.

LES EXERCICES POUR LES YEUX

Comme les autres muscles, ceux des yeux ont besoin d'exercice pour conserver leur tonicité et leur efficacité. On a trop souvent tendance à considérer que leur fonctionnement va de soi. Ces exercices permettent d'éviter le surmenage des yeux et les maux de tête qui en découlent.

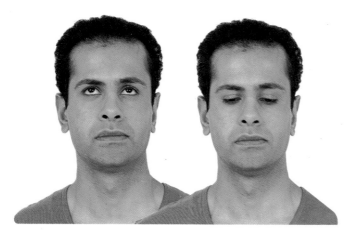

1 ◁ Dos et nuque droits, tête immobile, regardez alternativement en haut, puis en bas, en poussant au maximum le mouvement de l'œil, et ce pendant 10 minutes au minimum. Fermez les yeux et décontractez-les environ 30 secondes avant de passer à l'exercice suivant.

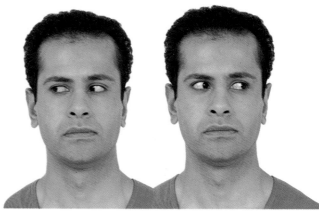

2 △ Les yeux grands ouverts, regardez alternativement le plus à droite, et ensuite le plus à gauche possible. Répétez l'exercice dix fois au moins. Fermez les yeux et décontractez-les pendant 30 secondes.

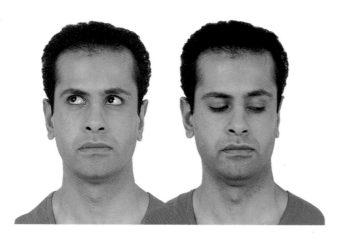

3 △ Regardez alternativement en haut à droite, puis en bas à gauche, dix fois. Recommencez l'exercice en regardant alternativement en haut à gauche, puis en bas à droite. Fermez les yeux et décontractez-les.

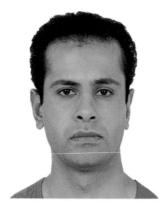

4 ◁ Faites décrire à votre regard de larges cercles dans le sens des aiguilles d'une montre. Débutez lentement, puis accélérez, dix fois au moins. Fermez les yeux quelques instants, puis répétez l'exercice dans le sens inverse. Fermez les yeux et décontractez-les.

LA RELAXATION DES YEUX

En fin d'exercice, posez vos mains sur vos yeux : chaleur et obscurité leur procureront une salutaire détente.

1 Frottez vigoureusement vos mains l'une contre l'autre, de façon à bien en réchauffer les paumes.

2 Posez vos mains sur vos yeux, mais sans toucher les paupières. Maintenez la position environ 30 secondes.

LES ROTATIONS DE LA TÊTE

Chez la plupart des gens, la tension se concentre dans le cou, les épaules et la partie supérieure du dos. En exécutant préalablement à une séance d'asanas une série de rotations de la tête, vous libérerez l'énergie bloquée dans cette région du corps. Débutez l'exercice par la Posture Facile (voir p. 17), dos et torse bien droits. Seuls le cou et la tête doivent bouger.

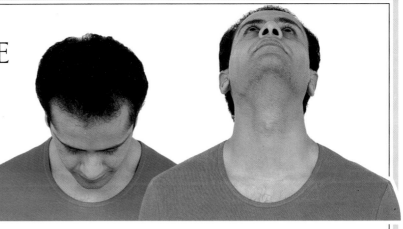

1 △ Laissez tomber la tête en avant, le menton contre la poitrine. Vous sentez votre nuque s'étirer. Laissez tomber la tête en arrière le plus loin possible, comme si vous vouliez aller toucher votre colonne vertébrale. Répétez l'exercice cinq à dix fois.

2 ◁ Sans faire pivoter la tête, amenez votre oreille droite sur l'épaule droite. Maintenez quelques instants la position, redressez la tête, répétez l'exercice du côté gauche et cinq à dix fois de chaque côté.

3 ▷ Épaules fixes, faites pivoter votre tête comme pour regarder par-dessus votre épaule droite. Ramenez la tête au centre et répétez le mouvement vers la gauche. Recommencez cinq à dix fois de chaque côté.

4 ▽ Laissez tomber le menton contre la poitrine et faites décrire à votre tête 2 ou 3 cercles complets dans le sens des aiguilles d'une montre. Ramenez la tête au centre et répétez le mouvement en inversant le sens de rotation.

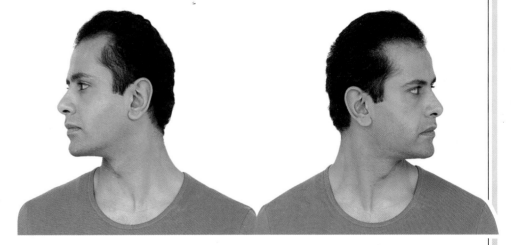

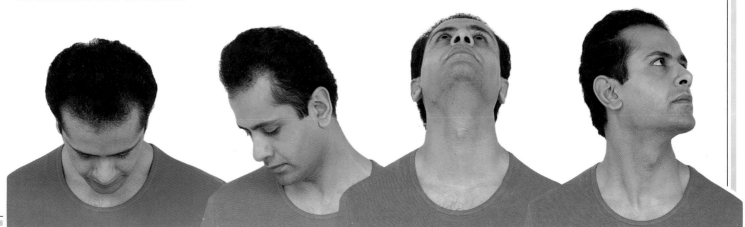

LA SALUTATION AU SOLEIL

Surya Namaskar

Toute séance d'asanas débute par la Salutation au Soleil. Cet excellent service d'échauffement se décompose en 12 positions, qui consistent à faire travailler la colonne vertébrale et à assouplir les membres. Particulièrement bénéfique pour les débutants, les gens trop raides et les personnes âgées, Surya Namaskar assouplit le corps tout entier, régularise le souffle et favorise la concentration.

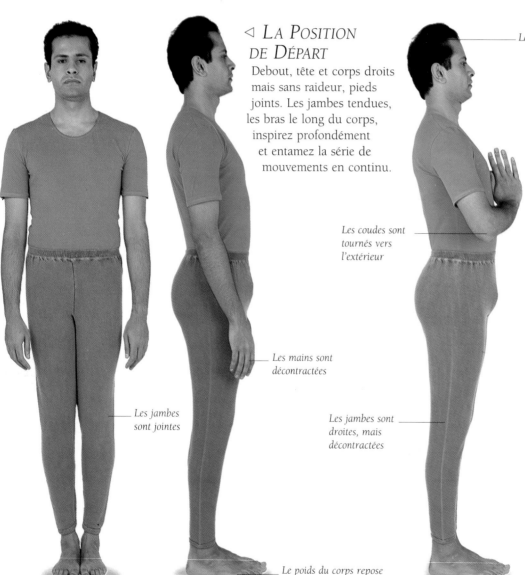

◁ *LA POSITION DE DÉPART*
Debout, tête et corps droits mais sans raideur, pieds joints. Les jambes tendues, les bras le long du corps, inspirez profondément et entamez la série de mouvements en continu.

La tête est droite

1 Au cours de l'expiration, joignez les mains contre la poitrine dans la position de la Prière – un moyen physique, mental et psychique de stabiliser le corps.

Les coudes sont tournés vers l'extérieur

Les mains sont décontractées

Les jambes sont jointes

Les jambes sont droites, mais décontractées

Le poids du corps repose sur la plante des pieds

LA POSITION DE LA PRIÈRE
Ramenez les mains au centre de la poitrine, paume contre paume. Les coudes sont tournés vers l'extérieur.

Les bras sont tendus

Les bras sont collés aux oreilles

La tête est rejetée légèrement en arrière

Le bassin est poussé vers l'avant

Les jambes sont maintenues droites

Le cou-de-pied repose sur le sol

Le bassin est soulevé le plus haut possible

Doigts et orteils sont alignés

La tête est tout contre les genoux

Les mains reposent bien à plat sur le sol

La tête est redressée

Le bassin est soulevé

Les mains sont maintenues au sol, près des pieds

Le bassin ne doit pas être soulevé

La tête ne doit pas retomber en avant

Le corps doit former une ligne droite

2 ◁ Inspirez, tendez les bras vers le plafond et étirez-vous en arrière, les bras collés aux oreilles, les jambes droites.

3 △ Expirez. Pliez-vous en avant et placez les paumes des mains au sol, près des pieds. Éventuellement, pliez légèrement les genoux.

4 △ Inspirez. Sans déplacer les mains, tendez le pied droit le plus loin possible vers l'arrière. Posez le genou droit à terre et regardez vers le plafond.

5 ▷ Retenez votre souffle, tendez l'autre jambe en arrière et amenez-la contre l'autre. Le corps, qui repose sur les mains et les orteils retournés, doit former une ligne droite ; position des « pompes ».

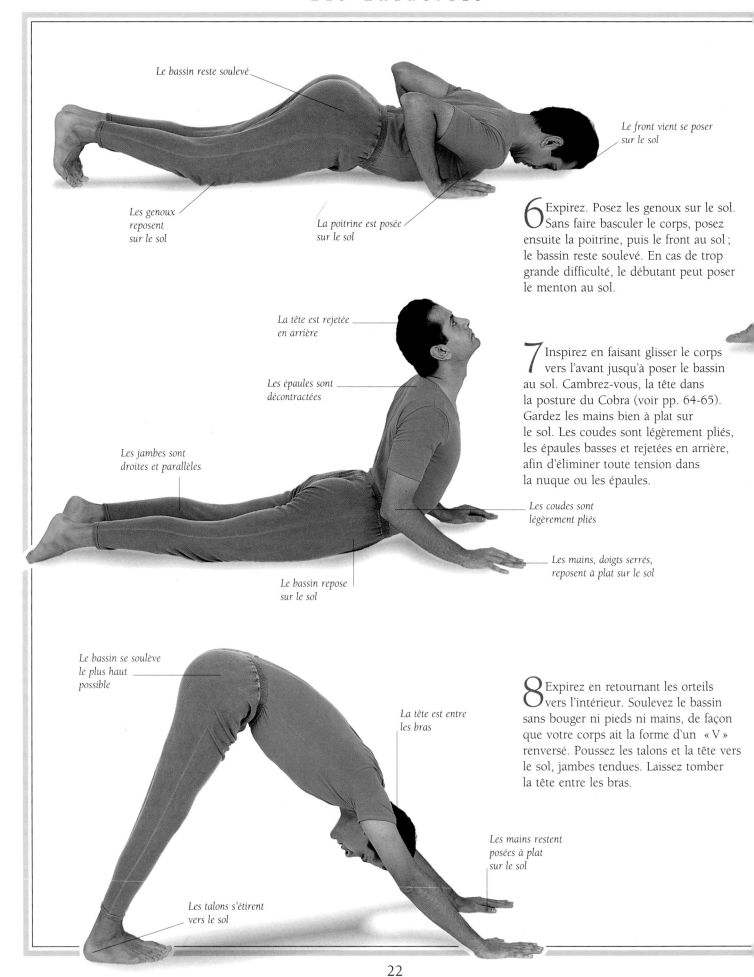

Le bassin reste soulevé

Le front vient se poser
sur le sol

Les genoux
reposent
sur le sol

La poitrine est posée
sur le sol

6 Expirez. Posez les genoux sur le sol. Sans faire basculer le corps, posez ensuite la poitrine, puis le front au sol ; le bassin reste soulevé. En cas de trop grande difficulté, le débutant peut poser le menton au sol.

La tête est rejetée
en arrière

Les épaules sont
décontractées

Les jambes sont
droites et parallèles

Le bassin repose
sur le sol

7 Inspirez en faisant glisser le corps vers l'avant jusqu'à poser le bassin au sol. Cambrez-vous, la tête dans la posture du Cobra (voir pp. 64-65). Gardez les mains bien à plat sur le sol. Les coudes sont légèrement pliés, les épaules basses et rejetées en arrière, afin d'éliminer toute tension dans la nuque ou les épaules.

Les coudes sont
légèrement pliés

Les mains, doigts serrés,
reposent à plat sur le sol

Le bassin se soulève
le plus haut
possible

La tête est entre
les bras

8 Expirez en retournant les orteils vers l'intérieur. Soulevez le bassin sans bouger ni pieds ni mains, de façon que votre corps ait la forme d'un « V » renversé. Poussez les talons et la tête vers le sol, jambes tendues. Laissez tomber la tête entre les bras.

Les mains restent
posées à plat
sur le sol

Les talons s'étirent
vers le sol

22

Le regard est tourné vers le plafond

9 Inspirez et ramenez le pied droit entre les mains, de façon à aligner doigts et orteils. Posez le genou gauche au sol et redressez la tête, comme dans la position 4.

Le genou gauche est posé sur le sol

Le pied droit est posé entre les deux mains

Le bassin est soulevé le plus haut possible

La tête est contre les genoux

10 ▷ Sans bouger les mains, expirez et ramenez le pied gauche à côté du droit, comme dans la position 3. Le front est contre les genoux.

Orteils et doigts forment une ligne droite

Les bras collés aux oreilles se tendent vers le haut

Les coudes sont dans l'alignement des bras

La tête et le cou sont détendus, mais droits

La tête est rejetée en arrière

La poitrine et toute la région du thorax s'étirent vers l'arrière

Le corps est droit

11 Inspirez et levez les bras en avant, puis étirez-les vers l'arrière. Les bras collés aux oreilles et le poids du corps reposant sur la plante des pieds, cambrez-vous lentement à partir de la taille, comme dans la position 2.

Le bassin est tendu vers l'avant

Les jambes sont bien tendues

12 ▷ Expirez tout en revenant lentement à la position de départ. Vous êtes prêt à enchaîner sur le cycle suivant de Salutation au Soleil. Si vous avez débuté la série d'exercices par la jambe droite, vous commencerez cette fois par la gauche.

Les mains, décontractées, retombent le long du corps

LA SALUTATION AU SOLEIL
Séquence respiratoire

Surya Namaskar n'est pas vraiment un asana, mais c'est un enchaînement de mouvements fluides synchronisés avec la respiration. Une fois les positions de la Salutation au Soleil assimilées, il est important de les mettre en phase avec un rythme respiratoire donné. Efforcez-vous de faire chaque jour entre 6 et 12 cycles de cet exercice.

12 Expirez en reprenant la position de départ, les pieds joints, les bras le long du corps. Inspirez très profondément et retournez à l'étape 1.

11 Inspirez et cambrez-vous en vous étirant, les bras collés aux oreilles.

10 Expirez et amenez le pied gauche à côté du droit. Dépliez les genoux et posez le front contre les jambes.

9 Expirez et amenez le pied droit en avant, entre les mains. Posez au sol le genou gauche et regardez le plafond. (C'est la jambe gauche qui sera repliée dans le cycle suivant.)

8 Expirez et, sans déplacer les mains ni les pieds, soulevez le bassin le plus haut possible de façon à dessiner un « V » renversé.

7 Inspirez. Faites glisser le bassin vers l'avant, relevez la tête et cambrez-vous dans la posture du Cobra (voir pp. 64-65).

1 Debout, expirez en joignant les mains sur la poitrine dans la position de la Prière.

2 Inspirez et tendez les bras, collés aux oreilles, vers le plafond. Cambrez-vous à partir de la taille, en projetant le bassin en avant et la tête en arrière.

3 Dans l'expiration, posez les mains au sol de chaque côté des pieds, de façon à aligner orteils et doigts. Rentrez la tête entre les genoux, le plus loin possible.

4 Inspirez en étendant la jambe droite en arrière et en posant le genou au sol. (Dans le cycle suivant, c'est la jambe gauche qui se portera en arrière.)

5 Respiration bloquée, amenez la jambe gauche à côté de la droite et tendez le corps dans la position des « pompes ».

6 Expirez et pliez les genoux. Posez sur le sol genoux, poitrine et front.

LA POSTURE SUR LA TÊTE

Sirshasana

Cette posture, dont les effets comptent parmi les plus bénéfiques, est souvent désignée comme « le roi des asanas ». Beaucoup la considèrent à juste titre comme une panacée pour atténuer un grand nombre de maux. C'est cette posture que vous choisirez d'exécuter si vous disposez de trop peu de temps pour pratiquer l'ensemble des asanas. Dans cette Posture Inversée sur la Tête, 90% au moins du poids du corps doit reposer sur les coudes. La tête et le cou ne doivent supporter aucune pression.

Les Bienfaits Physiques

▶ Tout en stimulant la circulation sanguine, cette posture permet à de nombreux organes, notamment au cerveau, d'être mieux irrigués.
▶ Pratiquée très régulièrement, elle renforce les systèmes respiratoire et nerveux. La respiration profonde a un effet bénéfique sur tout l'organisme.
▶ Elle redonne de l'énergie et du tonus.
▶ Elle raffermit et renforce les abdominaux.

Les Bienfaits Mentaux

▶ Elle améliore mémoire, concentration et capacité intellectuelle.
▶ Elle accroît toutes les facultés sensorielles.

Les Bienfaits Praniques

▶ « Celui qui pratique la Posture sur la Tête 3 heures par jour parvient à la maîtrise du temps. » *Yoga Tatwa Upanishad.*
▶ Elle sublime la pulsion sexuelle par transmutation de l'énergie séminale en Ojas Shakti.

LA POSITION DE DÉPART : LA POSTURE DE L'ENFANT

Assis sur les talons, posez le front sur le sol. Placez les mains, paumes tournées vers le plafond, de chaque côté des pieds. Si cela vous paraît trop difficile, placez les poings face à vous et l'un sur l'autre, et posez la tête dessus. Laissez le corps se détendre.

Dos et cou sont décontractés

Les pieds sont détendus

Le front est posé sur le sol

1 ▽ Redressez le dos tout en restant assis sur les talons et préparez votre assise en plaçant le poids du corps sur les avant-bras croisés devant vous, les mains serrées autour des coudes.

Chaque main serre fermement le coude opposé

Les coudes sont à la verticale des épaules

Les avant-bras
forment une base
triangulaire sur
laquelle le corps
va prendre appui

Les doigts
sont croisés

2 △ Lâchez les coudes sans les déplacer
et posez les mains devant vous en croisant
les doigts de manière à constituer un « trépied ».

Les coudes sont
à la verticale
des épaules

3 ▷ Sans déplacer les mains,
calez la tête entre elles
et posez le sommet du crâne
sur le sol.

Les mains enserrent
l'arrière du crâne

Un Exercice Préparatoire : le Dauphin

Le bassin
est soulevé

Recommandé même à ceux qui ont assimilé la Posture sur
la Tête, cet exercice fortifie bras et épaules, ce qui permet
de maintenir longtemps la posture sans fatigue.

La tête est
levée le plus
haut possible

1 ▷ Suivez les étapes 1 et 2 de la Posture sur la Tête,
après quoi, tête levée et sans écarter les pieds des bras,
allongez les jambes de manière à soulever le bassin
en un « V » renversé.

Le poids
du corps
repose
sur les
avant-bras

2 ▷ Basculez le corps vers
l'avant, de façon à amener
le menton au-dessus,
puis en avant
des mains.

Le menton pointe
vers l'avant

Le bassin est
bien soulevé

Les jambes doivent
demeurer tendues

3 ▷ Poussez le corps le plus possible vers l'arrière.
Effectuez ainsi 8 à 10 mouvements de bascule avant
de vous relaxer en prenant la posture de l'Enfant.
Effectuez cet exercice trois à quatre fois par jour.

Les jambes sont
maintenues
tendues

1

*Le bassin est
soulevé en un
« V » inversé*

*Le bassin est
soulevé ; le dos se
dresse à la verticale*

*Les jambes
sont tendues*

*Le sommet du
crâne est posé
sur le sol*

4 Sans déplacer la tête et les bras,
allongez les jambes et soulevez le
bassin en dessinant un « V » inversé tout
en continuant à pousser sur les coudes.

5 Rapprochez les pieds le plus
possible de la tête. Vous sentez
votre dos se redresser ; votre bassin
doit se soulever à la verticale de
votre tête.

*Le poids du corps
continue à reposer
sur les avant-bras*

*Les genoux sont
pliés et dirigés
vers le plafond*

6 Pliez lentement les
genoux et soulevez
les pieds du sol pour
amener les talons
au niveau des fesses.
Maintenez cette demi-
Posture sur la Tête
pendant 30 secondes
au moins avant de lever
les genoux plus haut.

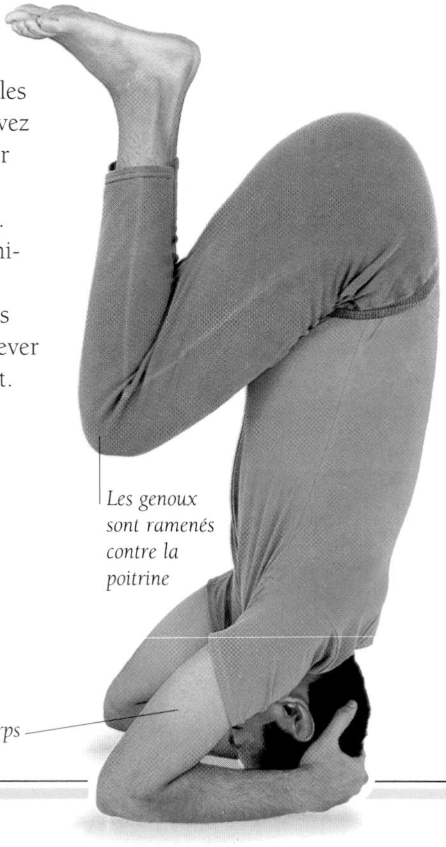

7 Levez les genoux
vers le plafond.
Vous sentez vos
hanches jouer le rôle
d'une charnière qui
pivote lentement.
Ne précipitez pas
le mouvement.

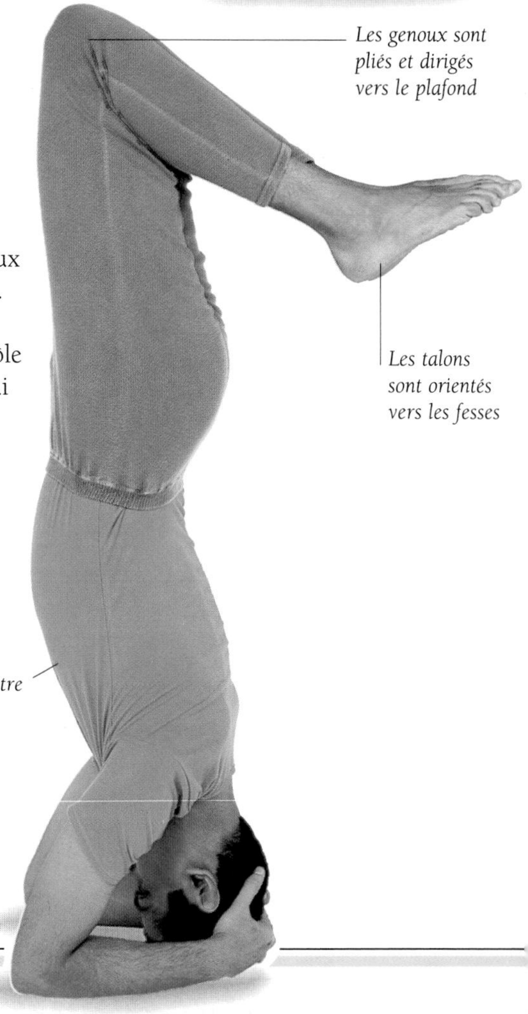

*Les talons
sont orientés
vers les fesses*

*Les genoux
sont ramenés
contre la
poitrine*

*La respiration doit être
calme et régulière*

*Les coudes
supportent
au moins 90%
du poids du corps*

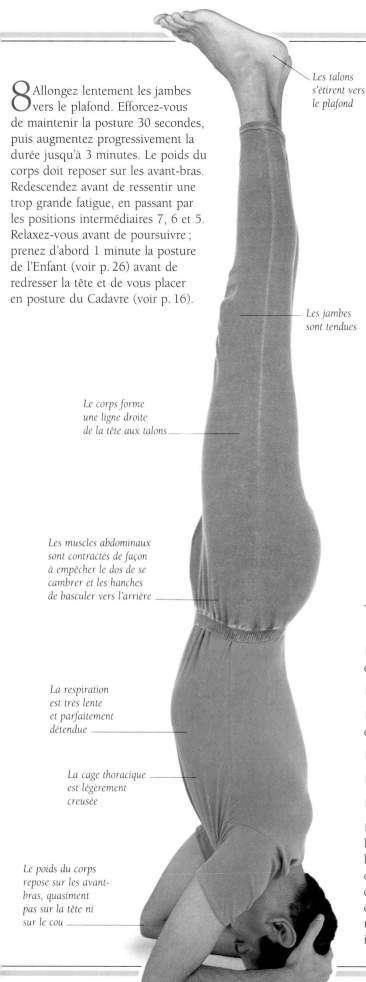

8 Allongez lentement les jambes vers le plafond. Efforcez-vous de maintenir la posture 30 secondes, puis augmentez progressivement la durée jusqu'à 3 minutes. Le poids du corps doit reposer sur les avant-bras. Redescendez avant de ressentir une trop grande fatigue, en passant par les positions intermédiaires 7, 6 et 5. Relaxez-vous avant de poursuivre ; prenez d'abord 1 minute la posture de l'Enfant (voir p. 26) avant de redresser la tête et de vous placer en posture du Cadavre (voir p. 16).

Les talons s'étirent vers le plafond

Les jambes sont tendues

Le corps forme une ligne droite de la tête aux talons

Les muscles abdominaux sont contractés de façon à empêcher le dos de se cambrer et les hanches de basculer vers l'arrière

La respiration est très lente et parfaitement détendue

La cage thoracique est légèrement creusée

Le poids du corps repose sur les avant-bras, quasiment pas sur la tête ni sur le cou

Le sang reflue, irriguant toutes les parties du corps

Les artères véhiculent un sang bien oxygéné

LE PRINCIPAL BIENFAIT

Du fait que le sang reflue sans effort et en irriguant toutes les parties du corps, la Posture sur la Tête soulage le cœur et l'appareil circulatoire.

La Posture sur la Tête soulage le cœur

LES PRINCIPAUX DÉFAUTS

▶ Les jambes ne sont pas jointes et retombent vers l'arrière.

▶ Les genoux sont pliés.

▶ Le poids repose sur la tête et non sur les avant-bras.

▶ Les épaules sont voûtées.

▶ Le dos est cambré.

▶ Les coudes sont trop écartés.

▶ ATTENTION : la Posture sur la Tête est déconseillée chez les hypertendus, les femmes enceintes de plus de quatre mois, en cas de glaucome ou autre affection oculaire, d'opération chirurgicale récente, ou encore de contre-indication médicale.

Les jambes sont pliées et non alignées

La tête supporte trop de poids

LA POSTURE SUR LA TÊTE

POSITION DE DÉPART

Variantes

À partir du moment où vous pouvez tenir au moins 3 minutes la Posture sur la Tête, vous pouvez aborder ses variantes. Elles portent sur la souplesse, la concentration et l'équilibre. Elles fortifient les muscles du dos et des épaules, étirent ceux des jambes et des cuisses.

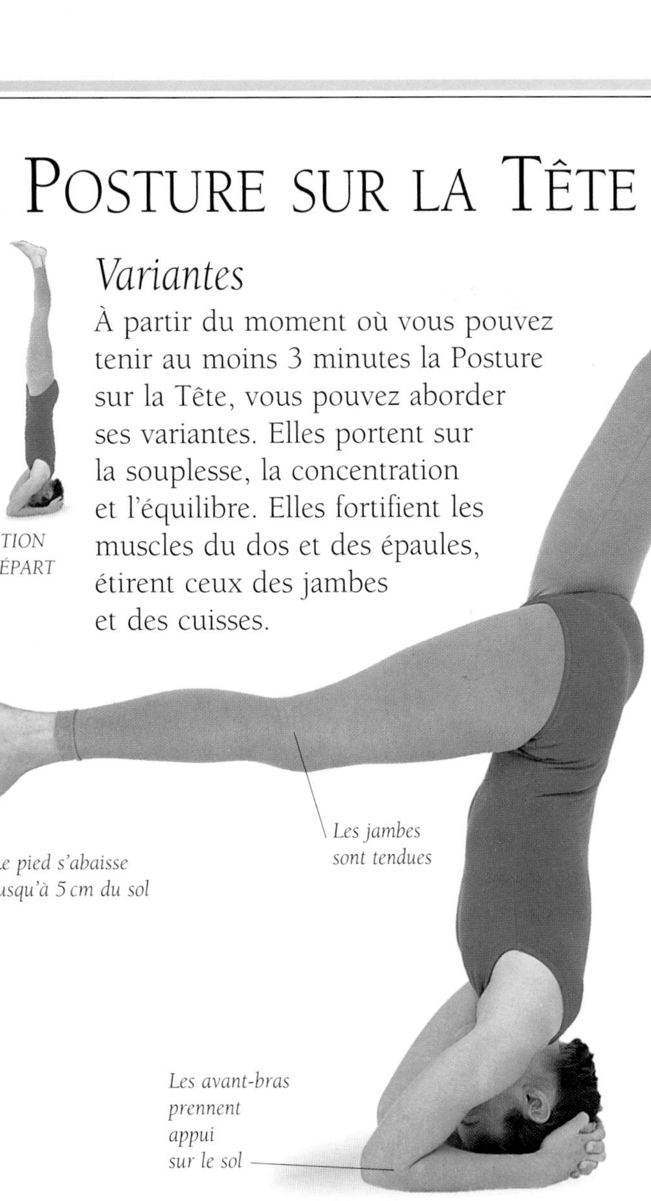

◁ UNE JAMBE AU SOL

Une jambe maintenue à la verticale, expirez et baissez l'autre jusqu'à environ 5 cm du sol. Inspirez en la relevant. Répétez deux à trois fois de chaque côté.

LES DEUX JAMBES AU SOL ▽

Les deux jambes jointes, abaissez-les dans l'expiration, jusqu'à 5 cm du sol. Tirez votre bassin vers l'arrière pour contrebalancer le poids des jambes.

Les jambes sont maintenues tendues

Le bassin, soulevé, bascule en arrière

Les pieds s'abaissent jusqu'à 5 cm du sol

Le pied s'abaisse jusqu'à 5 cm du sol

Les jambes sont tendues

Les avant-bras prennent appui sur le sol

Les jambes sont tendues

Le dos reste droit

LES CISEAUX

Jambes bien tendues, basculez-en une vers l'avant, l'autre vers l'arrière en étirant les talons. Inversez ainsi plusieurs fois les jambes en un mouvement de ciseaux. Ramenez ensuite les deux jambes dans la posture de départ et redressez alors le corps avant de poursuivre vos asanas.

Le corps est détendu, son poids repose sur les avant-bras

Les jambes
sont tendues

La respiration est
lente et régulière

Bras et épaules
sont décontractés

LES JAMBES ÉCARTÉES ▷

Jambes tendues, écartez-les le plus
possible sans les basculer vers l'avant.
Veillez à conserver le dos bien vertical
pendant cet exercice et pour toutes
les variantes de la Posture sur la Tête.
Évitez de vous cambrer outre mesure.

Les pieds sont joints
mais détendus

◁ LES MAINS À PLAT

À partir de la posture de départ,
inspirez profondément, déplacez
légèrement le poids du corps vers
la gauche et posez rapidement la
paume de la main droite à plat sur
le sol devant vous. Faites de même
avec l'autre main. Ce mouvement
est déconseillé aux débutants.
Ne maintenez pas longtemps cette
position, car le poids du corps
repose sur la tête et le cou.

Les talons s'étirent
vers le plafond

Les jambes
sont tendues

LES BRAS TENDUS ▷

À partir de la position mains à plat,
inspirez et déplacez légèrement
le poids du corps d'un côté.
Tendez alors un bras, paume
ouverte vers le plafond. Faites
de même avec l'autre bras. Vous
ne pourrez probablement pas
maintenir longtemps la posture.
Cette variante est particulièrement
bénéfique à la concentration et
à l'équilibre.

Les muscles
abdominaux
maintiennent
le corps droit

Le sommet du crâne
repose sur le sol

Les bras
sont tendus

Les paumes
des mains sont
posées à plat
sur le sol

Les paumes
des mains sont
tournées vers
le plafond

Le sommet du crâne
ne doit pas basculer
vers l'avant

LE SCORPION
Vrichikasana

Le Scorpion, posture plus difficile à exécuter, apporte l'équilibre et l'harmonie du corps et de l'esprit. Avant de l'entreprendre, vous devez parfaitement maîtriser la Posture sur la Tête et être capable de la tenir pendant 3 minutes.

POSITION DE DÉPART

2 Décroisez les doigts et posez une main, puis l'autre, à plat sur le sol près de votre tête. Tenez la posture en inspirant profondément avant de poursuivre.

1 À partir de la Posture sur la Tête (voir pp. 26-29), pliez les genoux, cambrez le dos, écartez les jambes et inclinez-les très lentement derrière vous. Veillez à ce que le poids du corps repose en permanence sur les avant-bras.

Les genoux sont pliés

Le dos est cambré

Le poids du corps repose sur les avant-bras

Les genoux sont tendus

La cambrure du dos s'accentue

Les avant-bras sont le plus parallèles possible

Les paumes reposent à plat sur le sol

VARIANTE 1

À partir du Scorpion, essayez de tendre vos jambes en maintenant le poids sur les avant-bras. Cette posture exige plus de force, mais moins de souplesse du dos.

Le bas du dos est très cambré

VARIANTE 2 ▷

À partir du Scorpion, accentuez la cambrure du dos et posez les pieds sur la tête. Cette position exige une très grande souplesse.

Tout le dos est cambré

La tête est relevée

Les jambes sont décontractées
et parfaitement parallèles

3 Le dos toujours cambré, soulevez la tête
en amenant les épaules à la verticale
des coudes. Cet exercice exige à la fois
concentration, force et souplesse
du dos. Ne tenez cette posture
que le temps que vous vous
y sentez à l'aise.

Les pieds
sont
détendus

La tête est levée
le plus haut possible

Les épaules sont bien
à la verticale des coudes,
de façon à supporter
le poids du corps

Si les mains ne supportent
que peu de poids, elles
procurent un supplément
d'équilibre

UNE BASE STABLE
Dans la position du Scorpion,
gardez les mains écartées et la
tête levée. Le poids du corps
repose sur les avant-bras, les
mains permettent la stabilité.

LA POSTURE SUR LES ÉPAULES

Sarvangasana

En sanskrit, *Sarvangasana* signifie littéralement « Posture du corps tout entier » ; autant dire que c'est un asana très complet. Au début, vous aurez l'impression que votre corps penche vers l'arrière, alors qu'il s'agit en réalité d'un exercice de flexion avant, qui étire la nuque, les vertèbres cervicales et le haut du dos. Pour la Posture sur les Épaules et les asanas de la même série, vous devez disposer d'une surface suffisante.

LES BIENFAITS PHYSIQUES

▶ Par la pression du menton contre la gorge, la posture provoque un afflux de sang.
▶ Elle stimule les glandes thyroïde et parathyroïde.
▶ Elle centralise dans la colonne vertébrale l'afflux de sang, et l'étire en lui conservant son élasticité.
▶ Dans la mesure où le corps est soulevé au-dessus de la tête, elle prévient la stagnation du sang dans les membres inférieurs.
▶ Elle favorise la respiration abdominale profonde par un massage du cœur et de la région pulmonaire.

LES BIENFAITS MENTAUX

▶ Elle lutte contre la léthargie et la paresse mentale.
▶ Elle combat l'insomnie et la dépression.

LES BIENFAITS PRANIQUES

▶ Elle concentre l'énergie sur Vishudda Chakra, dans la région de la gorge.
▶ Elle stimule l'afflux d'énergie dans l'estomac, l'intestin grêle, la vessie et la vésicule biliaire, ainsi que dans les méridiens du péricarde et des reins.

LES EXERCICES PRÉPARATOIRES

Il s'agit d'exercices à exécuter allongé sur le dos. Ils contribuent à tonifier les muscles de l'abdomen et du bas du dos pour les préparer à la Posture sur les Épaules et autres asanas.

LA POSITION DE DÉPART

Allongé sur le sol, le dos bien à plat, joignez les jambes et posez les mains, paumes vers le sol, à vos côtés. Tendez le menton vers la poitrine, de façon que la nuque repose bien à plat.

Les jambes sont serrées

Les bras reposent le long du corps

Les orteils sont tendus vers la tête

UNE JAMBE LEVÉE ▷

Inspirez en levant la jambe droite. Expirez en l'abaissant. Efforcez-vous d'harmoniser vos mouvements sur votre respiration : le temps d'expiration doit coïncider avec celui de la descente de la jambe. Répétez avec la jambe gauche, et deux à cinq fois avec chaque jambe.

Les paumes reposent sur le sol

Le dos repose sur le sol

Le menton est tendu vers la poitrine

1 Allongé sur le dos, rassemblez les pieds et tendez les bras au-dessus de votre tête pour vérifier que vous disposez d'assez de place. Reposez les bras le long du corps, paumes des mains à plat sur le sol.

Le dos repose à plat sur le sol

Le menton est rentré

Les jambes sont serrées

Les bras sont tendus le long du corps, paumes tournées vers le sol

Les épaules sont décontractées

UNE JAMBE TENDUE

À partir de la position jambe levée, sans soulever la tête ni le dos, enserrez bien la jambe de vos mains, le plus haut possible. Tirez en douceur la jambe vers la tête. Changez de côté.

Le mouvement de la jambe ne doit pas être forcé, ce qui obligerait à plier le genou et retirerait tout intérêt à l'exercice

Tête et nuque ne doivent pas décoller du sol

La jambe est tirée vers la tête

Les genoux ne doivent pas être fléchis

Les deux jambes sont tendues

LA TÊTE LEVÉE ▷

Sans lâcher la jambe, rapprochez la tête du genou. Reposez-la sur le sol, lâchez la jambe et reposez-la doucement. Changez de côté.

Les jambes sont à la verticale, les pieds restent joints

L'autre jambe reste étendue sur le sol

Le menton est rentré

Le dos est maintenu collé au sol

◁ LES DEUX JAMBES LEVÉES

Inspirez en levant les deux jambes jointes. Le dos reste bien à plat, le menton est rentré. Expirez en abaissant lentement les jambes et en appuyant le dos contre le sol. Répétez cinq à dix fois au minimum. Si votre dos est plutôt fragile, faites exécuter le mouvement à une seule jambe jusqu'à ce que vos muscles acquièrent la force suffisante.

2

Les jambes sont
tendues et serrées

2 Le dos, la tête et le cou touchant le sol,
inspirez en levant bien les deux jambes
perpendiculairement au corps. Glissez les
mains sous les fesses et préparez-vous
à soulever le corps.

Le tronc reste en
contact avec le sol

Les mains vont se
placer sur les fesses

La tête reste posée
sur le sol

Les muscles des
pieds et des mollets
sont détendus

3 Soulevez le corps en faisant
descendre progressivement les
mains le long du dos, jusqu'à prendre
appui sur les épaules. N'exécutez aucun
mouvement brusque.

Le dos sera d'autant
plus droit que les
mains seront proches
des épaules

En cas de crampes dans les
jambes, les genoux seront
légèrement pliés pendant
quelques secondes afin
de soulager la tension

Le poids du corps se
porte progressivement
sur les épaules

Les coudes sont le plus
serrés possible

4 Réalisez la « chandelle » la plus verticale possible et maintenez la position 30 secondes au moins, en augmentant progressivement la durée jusqu'à 3 minutes. Pour les débutants, soulevez tout d'abord le corps à 45° derrière la tête, placez les mains à plat sur le sol, déroulez progressivement le dos et relaxez-vous. Les initiés peuvent enchaîner sur les autres asanas du cycle de la Posture sur les Épaules (voir pp. 46-47) avant de se relaxer.

Les jambes doivent être tendues mais décontractées

LA POSITION DES MAINS

Les mains posées à plat sur le dos, les doigts se rejoignent sur la colonne vertébrale. Rectifiez la position du corps en rapprochant les mains des épaules et les coudes l'un de l'autre.

Le dos est le plus droit possible

Cartilage thyroïdien

Glande thyroïde

Trachée

LA GORGE VUE DE FACE

Glande thyroïde

LE PRINCIPAL BIENFAIT

Cette position stimule et équilibre la fonction de la thyroïde, laquelle supervise les autres glandes, préside à la croissance et au développement du corps, régularise le métabolisme et la production de chaleur, contrôle le rythme cardiaque.

LES PRINCIPAUX DÉFAUTS

▶ Les coudes sont trop écartés ou à des niveaux différents.

▶ La tête et/ou le cou pivote(nt) sur un côté.

▶ Le bassin bascule vers l'extérieur, ce qui déséquilibre le corps.

▶ Le corps, déséquilibré, penche d'un côté.

▶ Les jambes sont disjointes.

▶ Les genoux sont pliés.

▶ La respiration est irrégulière ou bloquée.

▶ Les pieds et/ou les mollets sont contractés.

▶ Les mains ne sont pas au même niveau.

Les mains ne sont pas posées à la même hauteur

Le mouvement part de la base de la nuque

3

LES BIENFAITS PHYSIQUES

▶ Cette posture stimule les nerfs spinaux et provoque un afflux de sang dans la région spinale, alimentant ainsi les organes internes.
▶ Elle améliore la circulation sanguine.
▶ Elle soulage toutes les tensions au niveau de la nuque et des épaules.
▶ Elle masse les organes internes, et elle combat constipation et mauvaise digestion jusqu'à éliminer parfois totalement ces phénomènes.

LES BIENFAITS MENTAUX

▶ Elle aide à lutter contre l'insomnie.
▶ Elle procure détente physique et nerveuse.
▶ Elle contribue à l'équilibre général.

LES BIENFAITS PRANIQUES

▶ Elle favorise une plus grande concentration du prana au niveau de la nuque, de la gorge et du haut du dos.
▶ Elle stimule estomac, rate, intestin grêle, foie, vésicule biliaire et nadis rénaux (méridiens d'acupuncture).

LA CHARRUE

Halasana

La Charrue est une flexion avant poussée à l'extrême et qui a pour effet d'assouplir et de fortifier la colonne vertébrale et la nuque – éléments clés pour maintenir un corps jeune.

Jambes et pieds sont joints mais décontractés

1 Après avoir tenu 30 secondes à 3 minutes la Posture sur les Épaules, vous pouvez aborder la Charrue. Entre ces deux asanas, les débutants se relaxeront dans la posture du Cadavre (voir p. 16).

Les paumes des mains sont posées à plat sur le sol, doigts serrés

Le dos est le plus droit possible

Le menton est rentré

Les bras sont parallèles

Les mains se placent le plus près possible des épaules

Les mains soutiennent le dos

Les jambes sont tendues

Les jambes sont abaissées lentement

2 À partir de la Posture sur les Épaules, jambes jointes, expirez et allez lentement poser les pieds derrière la tête. Au début, vous ne parviendrez peut-être pas à toucher le sol, mais vous vous en rapprocherez quand votre colonne vertébrale s'assouplira.

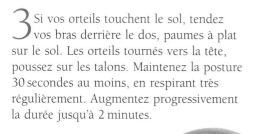

3 Si vos orteils touchent le sol, tendez vos bras derrière le dos, paumes à plat sur le sol. Les orteils tournés vers la tête, poussez sur les talons. Maintenez la posture 30 secondes au moins, en respirant très régulièrement. Augmentez progressivement la durée jusqu'à 2 minutes.

Étirement de la région lombaire

Accélération de la circulation dans la région thoracique

Soulagement de la tension dans la région cervicale

LE PRINCIPAL BIENFAIT
La Charrue étire toute la colonne vertébrale et le dos en général, et, plus spécifiquement, elle soulage les tensions au niveau de la partie supérieure du dos et du cou.

Le bassin est maintenu le plus haut possible

Jambes, pieds et cuisses sont joints

Les orteils sont tournés vers la tête

LES PRINCIPAUX DÉFAUTS

▶ Les genoux sont pliés.

▶ Les mains s'écartent sur les côtés et/ou les paumes sont tournées vers le plafond.

▶ La tête et/ou le cou pivote(nt).

▶ Les jambes basculent de côté.

▶ Les mains ne reposent pas sur le sol.

▶ Les épaules sont tordues.

▶ Le bassin et le dos se soulèvent avec difficulté.

Les mains doivent reposer sur le sol

▶ ATTENTION : tant que les orteils n'atteignent pas le sol avec facilité et que la colonne vertébrale n'est pas assouplie, soutenez le dos avec les mains.

Le dos est déroulé vertèbre par vertèbre

La tête reste collée au sol

Servez-vous de vos mains pour vous soutenir

4 Ensuite, revenez à la Posture sur les Épaules et redescendez les pieds à mi-distance du sol. Placez les mains à plat derrière votre dos et respirez régulièrement en déroulant progressivement la colonne, la tête restant collée au sol (voir variantes de la Charrue pp. 44-45).

LE PONT

Le Pont, contre-posture de la Charrue, complète celle-ci et vient accroître ses effets bénéfiques, ainsi que ceux de la Posture sur les Épaules. En effet, le Pont contribue à éliminer aux niveaux thoracique et lombaire les tensions qu'auraient pu générer ces deux postures. *Sethu Bandhasana* en sanskrit, le Pont est généralement intégré à toute séance d'asanas. Deux manières d'adopter la posture sont proposées ici, l'une s'adressant aux débutants, et l'autre aux pratiquants un peu plus confirmés.

LA POSITION DE DÉPART ▷

Les pratiquants confirmés choisissent comme position de départ la Posture sur les Épaules, à tenir 1 à 3 minutes avant d'enchaîner sur le Pont.

Pieds et mollets sont décontractés

Les bras soutiennent tout le poids du corps

LA MÉTHODE POUR LES DÉBUTANTS

Avant d'entreprendre les variantes (voir pp. 42-43), vous devez pouvoir tenir le Pont pendant 30 secondes au minimum.

1 Couché sur le dos, les bras le long du corps, pliez les genoux et amenez les pieds contre les fesses.

Pieds et jambes sont légèrement écartés, mais parallèles

Les bras sont tenus le long du corps

2 Soulevez le bassin et placez les mains dans la même position que celle de la Posture sur les Épaules (voir p. 37) afin de soutenir le dos.

Bassin et poitrine sont levés le plus haut possible

Tête, cou et épaules sont en contact avec le sol

Les pieds reposent à plat sur le sol

Les mains sont tournées vers l'intérieur, les pouces vers le haut

Les genoux ne doivent pas être tournés vers l'extérieur

Pieds et jambes sont parallèles

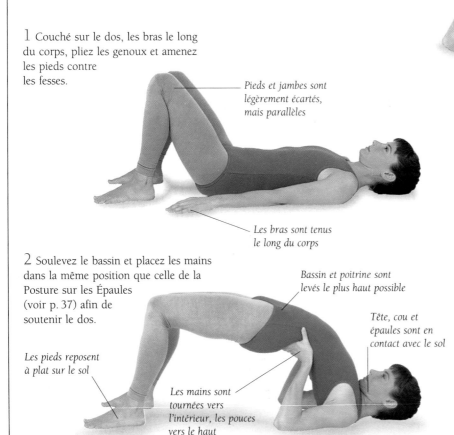

1 Pliez les genoux.
Lentement, en contrôlant
le mouvement, cambrez-vous
et posez un pied au sol
derrière le dos.

*L'autre
pied suit*

*Un pied
est levé*

*Les doigts serrés
sont tournés vers
la colonne*

*Les pouces
sont tournés
vers la poitrine*

LES PRINCIPAUX DÉFAUTS

► Le bassin s'affaisse.

► Les genoux sont tournés vers l'extérieur.

► Les pieds sont tournés vers l'extérieur.

► La tête et/ou le cou ne touche(nt) pas le sol.

► Les épaules ne restent pas en contact
avec le sol.

► La position des mains a changé.

► NOTE : entre autres bienfaits, le Pont a celui
d'assouplir les poignets – effet dont on se prive
si l'on déplace les mains.

*Les genoux
sont écartés*

*Épaules et nuque ne
sont plus en contact
avec le sol*

*Le bassin est soulevé
le plus haut possible*

*La poitrine se soulève
à partir des épaules,
lesquelles doivent rester
en contact avec le sol*

2 Posez l'autre pied au sol.
Veillez à maintenir le bassin
soulevé, la tête et les épaules
restant au contact du sol. Tenez
la posture 30 secondes tout en
respirant profondément. Inspirez
et revenez à la Posture sur les
Épaules, puis déroulez lentement
le dos.

LE PONT *Variantes*

Le Pont est une posture simple et d'une grande efficacité dans la mesure où vous la maîtrisez. Ses variantes sont nombreuses : la posture à une jambe levée, présentée ci-dessous, est accessible aux débutants ; elle s'intègre au cycle de la Posture sur les Épaules (voir pp. 46-47).

POSITION DE DÉPART

UNE JAMBE LEVÉE

À partir du Pont, levez une jambe bien à la verticale. Il s'agit d'une variante simple, pour laquelle il importe de tenir le bassin soulevé. Maintenez la posture 10 secondes au moins, puis progressivement jusqu'à 30 secondes. Baissez la jambe et changez de côté.

Un pied est tendu vers le plafond

La jambe est rapprochée le plus possible de la tête

La jambe doit être tendue

Le bassin est tenu soulevé le plus haut possible

Les pouces sont tournés vers le haut, les autres doigts vers l'intérieur

Tête, nuque et épaules sont en contact avec le sol

L'autre pied repose à plat sur le sol

LE PONT *Variantes élaborées*

N'abordez pas trop rapidement les variantes élaborées. Les variantes simples sont les plus efficaces et doivent être pratiquées très régulièrement. Vous pouvez même vous limiter à la seule posture de base, laquelle assouplira et fortifiera votre corps. Elle vous permettra également de demeurer concentré. Les variantes ci-dessous sont proposées avec le souci de répondre au besoin de diversité du pratiquant.

LE PONT EN DEMI-LOTUS

Comme la position jambes tendues, le Pont en demi-Lotus ne doit être abordé que lorsque hanches et poignets ont été bien assouplis. La Posture sur les Épaules (voir pp. 34-37) constitue la position de départ.

1 À partir de la Posture sur les Épaules, pliez le genou gauche et amenez le pied gauche sur la cuisse droite en position de demi-Lotus. Au besoin, tirez le pied pour l'amener le plus haut possible sur la cuisse.

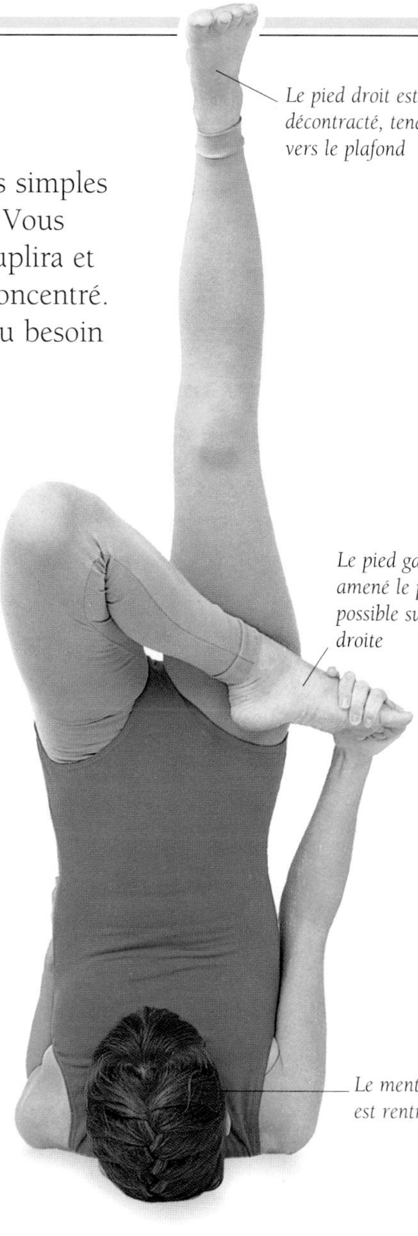

Le pied droit est décontracté, tendu vers le plafond

Le pied gauche est amené le plus haut possible sur la cuisse droite

Le menton est rentré

2 ▽ Les mains soutenant le dos, pliez le genou droit et posez lentement le pied droit sur le sol. Tenez la posture tant qu'elle reste confortable. Tout en restant en demi-Lotus, inspirez très profondément et revenez à la Posture sur les Épaules. Étendez la jambe, puis changez de côté.

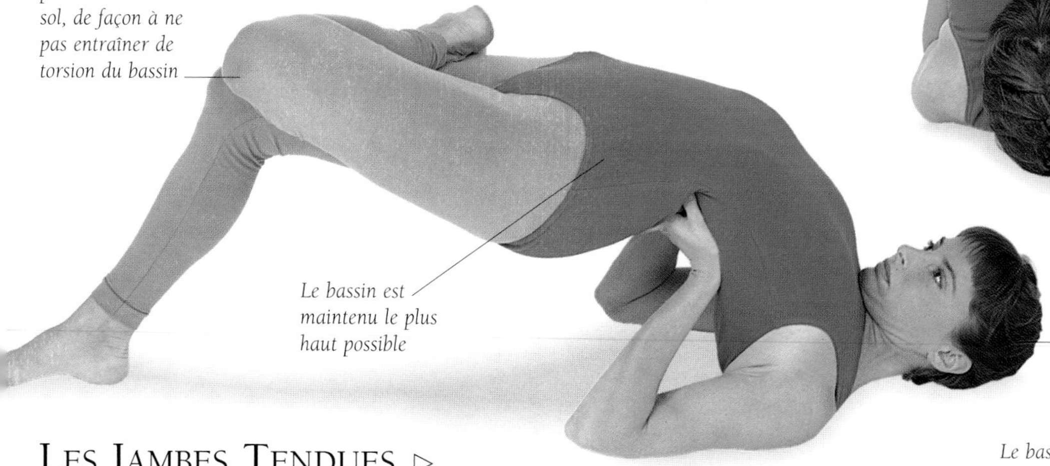

La jambe pliée doit être amenée parallèlement au sol, de façon à ne pas entraîner de torsion du bassin

Le bassin est maintenu le plus haut possible

La position s'exécute lentement, en contrôlant le mouvement

LES JAMBES TENDUES ▷

À partir du Pont, les pratiquants confirmés peuvent exécuter l'exercice avec les deux jambes, en veillant toutefois à ne pas laisser les genoux basculer vers l'extérieur. Une fois que vous pouvez tenir la posture, tendez peu à peu les jambes en maintenant le bassin soulevé.

Les genoux doivent être dans l'alignement des pieds

Le bassin est maintenu soulevé

Les doigts sont tournés vers l'intérieur. La position des mains ne doit pas être modifiée

LA CHARRUE *Variantes*

Les variantes de la Charrue améliorent considérablement la souplesse de la région cervicale, en même temps qu'elles fortifient et étirent les muscles du dos, des épaules et des bras. Toutes débutent dans la posture de la Charrue (pp. 38-39). Ne les entreprenez qu'à partir du moment où vous tenez sans inconfort cette dernière, avec les pieds touchant bien le sol.

POSITION DE DÉPART

LES GENOUX À L'ÉPAULE

Cet asana, appelé Karna Peedasana, étire en douceur un côté puis l'autre de la colonne vertébrale.

1 Les mains soutenant le dos, allez poser les deux pieds joints sur le sol du côté droit. Les épaules et les coudes doivent demeurer parfaitement en contact avec le sol.

2 Pliez les genoux au-dessus de l'épaule droite. Tenez 10 secondes au début, puis progressivement jusqu'à 1 minute. Étendez ensuite les jambes, passez-les sur la gauche et repliez les genoux. Ramenez les jambes en position centrale.

Les genoux sont pliés et amenés le plus près possible du sol

Les orteils restent bien en contact avec le sol

Le dos reste droit, les épaules sont fermement appuyées sur le sol

▽ L'ENVELOPPEMENT DES BRAS

À partir de la Charrue, pliez les genoux et posez-les de part et d'autre de la tête. Croisez les bras derrière les genoux. Tenez 10 secondes, et passez progressivement à 1 minute.

▽ LES MAINS À PLAT

Vous ne tenterez cette variante qu'après avoir maîtrisé celle de l'enveloppement des bras, avec les genoux touchant bien le sol. À partir de cette position, décroisez les bras et étendez-les derrière vous, paumes tournées vers le sol.

Le cou-de-pied est en contact avec le sol

Respirez bien en tenant la posture

Les genoux pliés sont amenés le plus près possible du sol

Les bras sont tendus

Les genoux sont proches des épaules

Les paumes reposent à plat sur le sol, derrière le dos

LES PIEDS ÉCARTÉS

En position mains à plat, étendez les jambes et allez poser les pieds derrière vous le plus loin possible. Tenez ainsi la position 10 à 30 secondes. Jambes tendues, amenez le bassin le plus près possible de la tête.

Les talons s'étirent vers le sol

Les paumes restent posées à plat sur le sol

Les jambes sont le plus possible écartées

LA POSITION DE PRIÈRE

En position pieds écartés et les pieds touchant le sol, joignez les mains au-dessus de la tête dans la position classique de Prière (voir p. 20). Tenez 10 secondes, pour passer progressivement à 1 minute.

Les mains sont jointes

Les jambes doivent rester tendues, le plus écartées possible

Les bras sont tendus

Les orteils sont tournés en avant, les talons s'étirent vers le sol

PIEDS ET MAINS

En position de Prière, joignez les jambes et pliez les genoux pour les poser derrière la tête. Croisez les mains et tendez les bras derrière le dos. Cet exercice assouplit les épaules et le haut du dos.

Les genoux sont serrés, le plus près possible du sol

Les pieds sont joints

Les mains sont croisées souplement (ou les paumes tournées vers le sol)

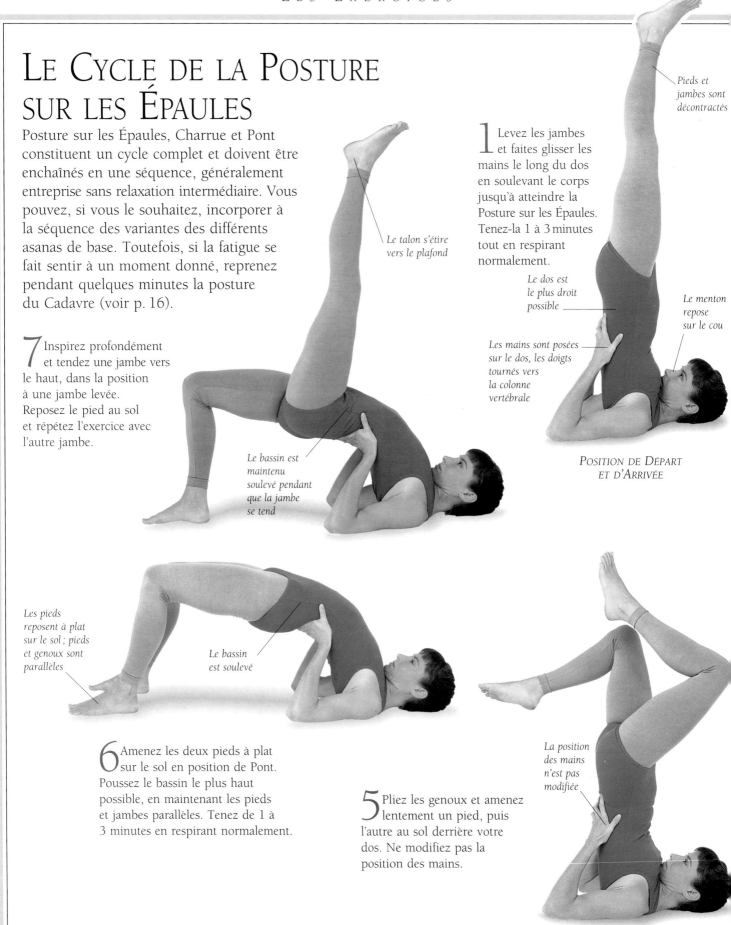

LE CYCLE DE LA POSTURE SUR LES ÉPAULES

Posture sur les Épaules, Charrue et Pont constituent un cycle complet et doivent être enchaînés en une séquence, généralement entreprise sans relaxation intermédiaire. Vous pouvez, si vous le souhaitez, incorporer à la séquence des variantes des différents asanas de base. Toutefois, si la fatigue se fait sentir à un moment donné, reprenez pendant quelques minutes la posture du Cadavre (voir p. 16).

1 Levez les jambes et faites glisser les mains le long du dos en soulevant le corps jusqu'à atteindre la Posture sur les Épaules. Tenez-la 1 à 3 minutes tout en respirant normalement.

Pieds et jambes sont décontractés

Le dos est le plus droit possible

Le menton repose sur le cou

Les mains sont posées sur le dos, les doigts tournés vers la colonne vertébrale

POSITION DE DÉPART ET D'ARRIVÉE

Le talon s'étire vers le plafond

7 Inspirez profondément et tendez une jambe vers le haut, dans la position à une jambe levée. Reposez le pied au sol et répétez l'exercice avec l'autre jambe.

Le bassin est maintenu soulevé pendant que la jambe se tend

Les pieds reposent à plat sur le sol ; pieds et genoux sont parallèles

Le bassin est soulevé

6 Amenez les deux pieds à plat sur le sol en position de Pont. Poussez le bassin le plus haut possible, en maintenant les pieds et jambes parallèles. Tenez de 1 à 3 minutes en respirant normalement.

5 Pliez les genoux et amenez lentement un pied, puis l'autre au sol derrière votre dos. Ne modifiez pas la position des mains.

La position des mains n'est pas modifiée

Les jambes sont tendues

2 Durant l'expiration, amenez un pied au sol derrière la tête, en position de demi-Charrue. Tenez la posture pendant quelques secondes, puis redressez la jambe et changez de côté. Répétez deux ou trois fois de chaque côté.

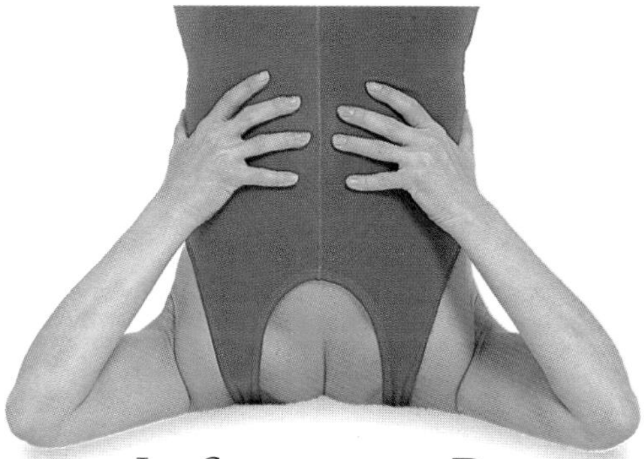

Les mains restent sur le dos

Le pied touche le sol, orteils vers l'intérieur

LE SOUTIEN DU DOS

Dans la Posture sur les Épaules ou bien en position de Pont, posez les mains à plat sur le dos pour le soutenir, les doigts orientés vers la colonne vertébrale.

3 Dans la Posture sur les Épaules, ramenez lentement les pieds sur le sol en position de Charrue, tout en expirant. Étendez les bras derrière le dos, paumes au sol. Tenez jusqu'à 2 minutes en respirant normalement.

Les mains reposent sur le sol, derrière le dos

Les pieds joints touchent le sol, orteils vers l'intérieur

Les mains sont ramenées sur le dos

Le corps est soulevé dans l'inspiration

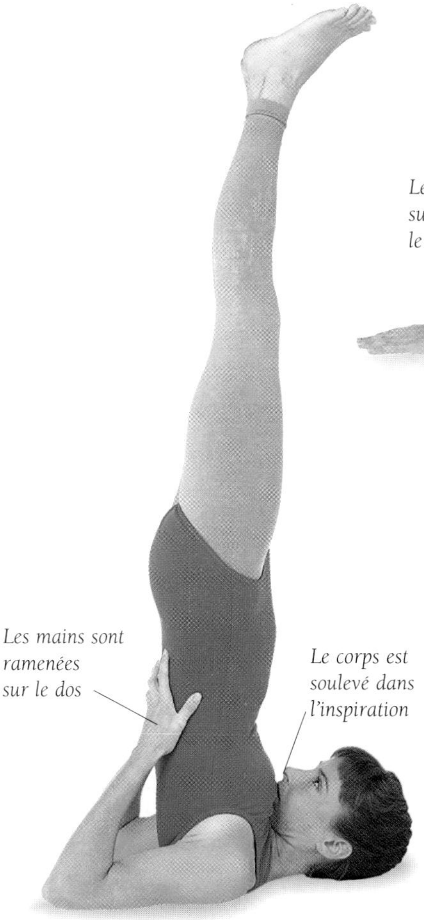

4 En position de Charrue, soutenez le dos avec les mains et revenez en Posture sur les Épaules pour vous préparer au Pont. Tenez la position en respirant normalement.

4

LE POISSON

Matsyasana

Matsyasana est la contre-posture de la Posture sur les Épaules : elle assouplit et détend les régions cervicale et lombaire, qui ont été étirées, et elle développe la cage thoracique et la poitrine. Elle doit son nom de Poisson au fait qu'elle facilite la respiration tout en permettant à la trachée-artère d'être complètement rectiligne.

🕉 LES BIENFAITS PHYSIQUES

▶ Cette posture élimine les raideurs cervicales, thoraciques et lombaires, accroît l'influx nerveux et stimule la circulation sanguine dans les régions citées.
▶ Elle réalise un massage naturel des épaules et de la nuque.
▶ Elle corrige les épaules arrondies.
▶ Elle augmente la capacité thoracique.
▶ Elle réduit les spasmes bronchiques.
▶ Elle est bénéfique aux personnes souffrant d'asthme et d'autres affections respiratoires.
▶ Elle stimule les glandes parathyroïdes.
▶ Elle tonifie l'hypophyse et la glande pinéale.

🕉 LES BIENFAITS MENTAUX

▶ Elle équilibre l'humeur et l'émotivité.
▶ Elle soulage le stress.

🕉 LES BIENFAITS PRANIQUES

▶ Elle apporte un supplément de prana dans les régions des épaules et de la nuque.
▶ Elle libère des blocages praniques les méridiens des poumons, de la rate et de l'estomac.

1 Allongé sur le dos, jambes tendues et pieds joints, glissez les mains sous les fesses, paumes tournées vers le sol.

Les jambes sont tendues

Les jambes sont jointes

Les mains reposent à plat sur le sol

Les coudes sont glissés le plus loin possible sous le corps

La tête repose sur le sol

2 Fléchissez les coudes et portez tout le poids du corps dessus. Soulevez votre cage thoracique en cambrant le dos jusqu'à être à moitié assis. Ni les cuisses ni les jambes ne doivent quitter le sol.

La poitrine se soulève au-dessus du sol

Les pieds sont joints, mais décontractés

Les jambes restent tendues

Les fesses reposent sur les mains

Le poids du corps repose sur les coudes

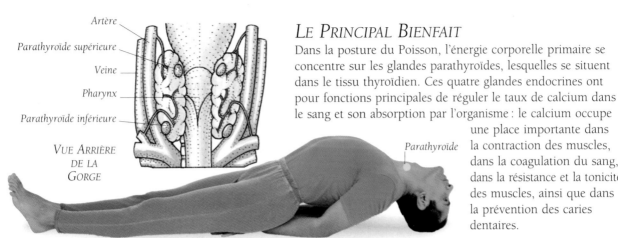

Artère

Parathyroïde supérieure

Veine

Pharynx

Parathyroïde inférieure

VUE ARRIÈRE DE LA GORGE

LE PRINCIPAL BIENFAIT

Dans la posture du Poisson, l'énergie corporelle primaire se concentre sur les glandes parathyroïdes, lesquelles se situent dans le tissu thyroïdien. Ces quatre glandes endocrines ont pour fonctions principales de réguler le taux de calcium dans le sang et son absorption par l'organisme : le calcium occupe une place importante dans la contraction des muscles, dans la coagulation du sang, dans la résistance et la tonicité des muscles, ainsi que dans la prévention des caries dentaires.

Parathyroïde

3 Tirez simultanément la tête en arrière : la poitrine se gonfle et le sommet du crâne touche le sol. Le poids du corps repose toujours sur les coudes. Tenez 15 secondes au début, puis passez progressivement à 90 secondes. Respirez le plus amplement possible sans forcer, en gonflant aussi bien la cage thoracique que l'abdomen. Pour quitter la posture, relevez légèrement la tête, reposez le dos sur le sol et relaxez-vous dans la posture du Cadavre (voir p. 16). Remuez les épaules pour éliminer toute tension

La poitrine se dresse le plus haut possible

La respiration est profonde et régulière

Les jambes restent tendues

Le poids du corps repose essentiellement sur les coudes

Le sommet du crâne repose sur le sol, mais supporte très peu de poids

LES PRINCIPAUX DÉFAUTS

▶ Au lieu d'être joints, les pieds sont tournés vers l'extérieur.

▶ Le corps n'est pas droit.

▶ L'un des genoux est fléchi.

▶ C'est l'arrière et non le sommet du crâne qui touche le sol.

▶ Les fesses ne sont pas sur le sol.

▶ Les coudes pointent vers l'extérieur.

▶ Le poids du corps repose sur la tête et/ou la nuque et non sur les coudes.

▶ La respiration est irrégulière et/ou forcée.

Les pieds sont tournés vers l'extérieur

Le sommet du crâne ne touche pas le sol

LE POISSON *Variantes*

À partir du moment où vous tenez 2 minutes au moins la posture du
Poisson, vous pouvez vous exercer aux variantes proposées ci-dessous.

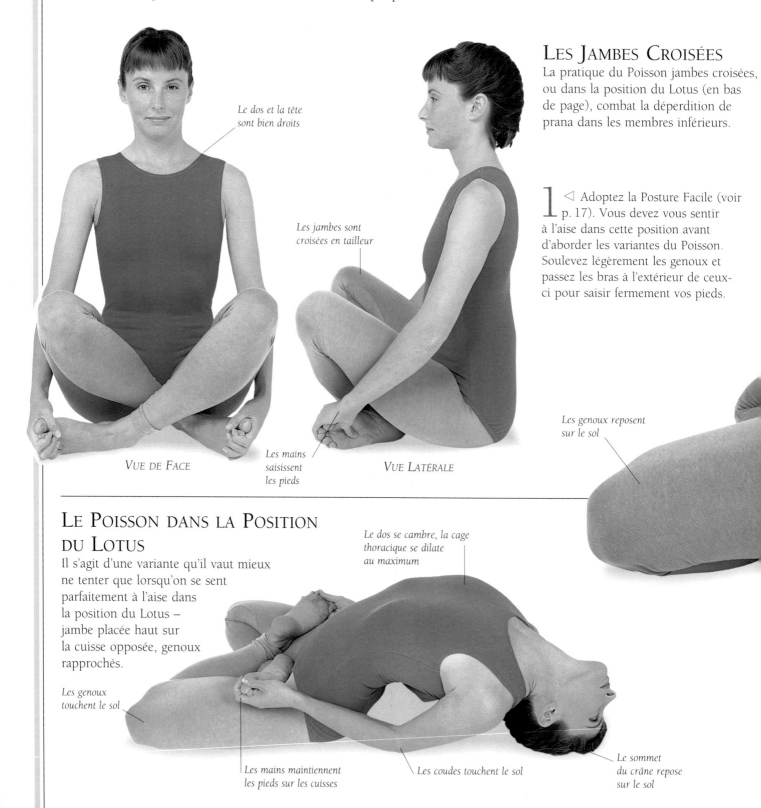

LES JAMBES CROISÉES

La pratique du Poisson jambes croisées,
ou dans la position du Lotus (en bas
de page), combat la déperdition de
prana dans les membres inférieurs.

1 ◁ Adoptez la Posture Facile (voir
p. 17). Vous devez vous sentir
à l'aise dans cette position avant
d'aborder les variantes du Poisson.
Soulevez légèrement les genoux et
passez les bras à l'extérieur de ceux-
ci pour saisir fermement vos pieds.

*Le dos et la tête
sont bien droits*

*Les jambes sont
croisées en tailleur*

*Les genoux reposent
sur le sol*

*Les mains
saisissent
les pieds*

VUE DE FACE

VUE LATÉRALE

LE POISSON DANS LA POSITION DU LOTUS

Il s'agit d'une variante qu'il vaut mieux
ne tenter que lorsqu'on se sent
parfaitement à l'aise dans
la position du Lotus –
jambe placée haut sur
la cuisse opposée, genoux
rapprochés.

*Le dos se cambre, la cage
thoracique se dilate
au maximum*

*Les genoux
touchent le sol*

*Les mains maintiennent
les pieds sur les cuisses*

Les coudes touchent le sol

*Le sommet
du crâne repose
sur le sol*

Les genoux sont pliés

2 ▽ En tenant vos pieds, laissez-vous lentement aller en arrière et allongez-vous sur le sol. Vos genoux doivent rester pliés et vos mains ne doivent pas lâcher vos pieds.

La tête reste posée sur le sol

Les mains tiennent fermement les pieds

Le dos repose bien à plat sur le sol

La poitrine se soulève

3 ▽ En poussant sur les coudes, cambrez le dos et posez le sommet du crâne sur le sol. Au besoin, posez les fesses sur les talons. Veillez à ce que votre poids repose essentiellement sur les coudes et non sur la tête ou sur la nuque.

La respiration est calme et régulière

Le poids du corps repose sur les coudes

LES PRINCIPAUX DÉFAUTS

▶ Un genou ne touche pas le sol.

▶ Le corps est tourné d'un côté.

▶ La tête ne touche pas le sol.

▶ Le cou se tord d'un côté.

▶ Le poids du corps ne repose pas sur les coudes, mais sur la tête ou sur le cou.

▶ La poitrine n'est pas suffisamment soulevée.

▶ La respiration est irrégulière ou rapide, lorsqu'elle n'est pas bloquée.

▶ C'est l'arrière et non le sommet du crâne qui repose sur le sol.

Les genoux restent en contact avec le sol

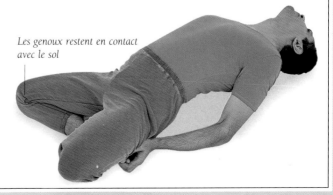

5

LA FLEXION AVANT ASSISE

Paschimothanasana

Cet asana, exercice dans lequel le corps se plie en deux, étire, assouplit et détend les jambes et la colonne vertébrale. Il est aussi simple à exécuter qu'il a des effets très bénéfiques. Selon le *Hatha Yoga Pradipika*, « Cet asana, le meilleur de tous, fait circuler la respiration à travers la Sushumna, stimule la digestion, affine la taille et éloigne toutes les maladies. » (Voir aussi les variantes de la posture, pp. 56-59).

ॐ LES BIENFAITS PHYSIQUES

► Cette posture masse et muscle le ventre.
► Elle stimule et tonifie l'appareil digestif ; elle favorise la digestion et le transit intestinal.
► Elle combat l'obésité ; elle développe la rate et le foie.
► Elle régularise les sécrétions pancréatiques et aide à combattre diabète et hypoglycémie.
► Elle mobilise les articulations et améliore la souplesse de la colonne vertébrale au niveau des lombaires.
► Elle soulage bien la compression de la colonne vertébrale et du nerf sciatique.
► Elle fortifie et étire les mollets.

ॐ LES BIENFAITS MENTAUX

► Elle favorise notablement la capacité de concentration.
► Elle régénère le système nerveux.

ॐ LES BIENFAITS PRANIQUES

► Elle équilibre le prana – la méditation n'étant possible que si l'énergie est répartie.
► Elle participe à une « éternelle jeunesse ».

Les bras sont parallèles, tendus, et collés aux oreilles

La colonne vertébrale et tout le dos s'étirent

Les orteils sont orientés vers la tête

1 Asseyez-vous sur le sol, tête, nuque et dos droits. Les jambes sont jointes et tendues.

Les jambes sont tendues, les genoux sont alignés

Les orteils sont tournés vers la tête

2 En inspirant, levez les bras au-dessus de la tête en les maintenant collés aux oreilles afin d'étirer la colonne vertébrale ; vous devez vous sentir grandir.

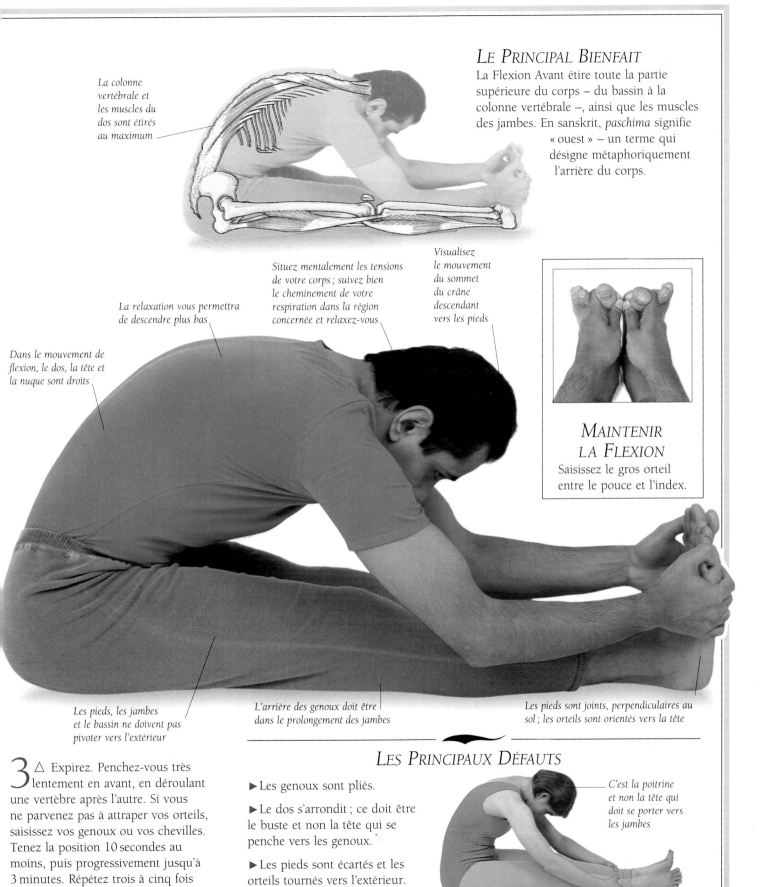

La colonne vertébrale et les muscles du dos sont étirés au maximum

LE PRINCIPAL BIENFAIT

La Flexion Avant étire toute la partie supérieure du corps – du bassin à la colonne vertébrale –, ainsi que les muscles des jambes. En sanskrit, *paschima* signifie « ouest » – un terme qui désigne métaphoriquement l'arrière du corps.

Situez mentalement les tensions de votre corps ; suivez bien le cheminement de votre respiration dans la région concernée et relaxez-vous

Visualisez le mouvement du sommet du crâne descendant vers les pieds

La relaxation vous permettra de descendre plus bas

Dans le mouvement de flexion, le dos, la tête et la nuque sont droits

MAINTENIR LA FLEXION

Saisissez le gros orteil entre le pouce et l'index.

Les pieds, les jambes et le bassin ne doivent pas pivoter vers l'extérieur

L'arrière des genoux doit être dans le prolongement des jambes

Les pieds sont joints, perpendiculaires au sol ; les orteils sont orientés vers la tête

3 △ Expirez. Penchez-vous très lentement en avant, en déroulant une vertèbre après l'autre. Si vous ne parvenez pas à attraper vos orteils, saisissez vos genoux ou vos chevilles. Tenez la position 10 secondes au moins, puis progressivement jusqu'à 3 minutes. Répétez trois à cinq fois l'exercice. Pour quitter la posture, inspirez et tendez les bras et le corps vers le haut (voir étape 2).

LES PRINCIPAUX DÉFAUTS

▶ Les genoux sont pliés.

▶ Le dos s'arrondit ; ce doit être le buste et non la tête qui se penche vers les genoux.

▶ Les pieds sont écartés et les orteils tournés vers l'extérieur.

▶ Les orteils ne sont pas tendus.

C'est la poitrine et non la tête qui doit se porter vers les jambes

LE PLAN INCLINÉ

Cet asana est la contre-posture de la Flexion Avant. Pratiqué régulièrement, le Plan Incliné fortifie et assouplit les épaules, bras et hanches, tout en développant le sens de l'équilibre et en améliorant la coordination musculaire.

1 Asseyez-vous, jambes jointes et allongées. Posez les mains derrière vous, à plat sur le sol, doigts tournés vers l'arrière. Relâchez la tête en arrière et portez le poids du corps sur les mains.

La tête est rejeté en arrière

En guise de préparation, exécutez quelques respirations profondes

Les mains sont posées à plat, les doigts sont tournés vers l'arrière

Pieds et jambes sont joints et tendus

Le bassin est soulevé le plus haut possible

Les pieds joints sont bien à plat sur le sol

2 Inspirez en soulevant le bassin le plus haut possible et en vous efforçant de garder les pieds bien à plat sur le sol. Tenez la posture d'abord 10 secondes, puis progressivement jusqu'à 1 minute, en respirant normalement. Reposez ensuite les fesses sur le sol et secouez les mains pour les décontracter.

La tête est rejetée en arrière

Les doigts sont tournés vers l'arrière

LES PRINCIPAUX DÉFAUTS

▶ La tête se porte en avant au lieu de tomber en arrière.

▶ Nuque et épaules sont tendues.

▶ Le bassin est relâché et/ou tourné vers l'extérieur ; le bassin doit être soulevé le plus haut possible.

▶ L'un des genoux est plié.

▶ Les mains sont tournées vers l'extérieur.

▶ Les pieds ne reposent pas à plat sur le sol.

▶ Les pieds sont tournés vers l'extérieur.

▶ Les jambes sont écartées.

Le corps ne forme pas une ligne courbe

LE PLAN INCLINÉ *Variantes*

Si vous tenez confortablement le Plan Incliné pendant 30 secondes environ, vous pouvez tenter quelques variantes. Les postures présentées ci-dessous exigent beaucoup de force et de concentration.

La jambe est levée le plus haut possible

La tête reste en arrière

Le bras est levé, les doigts se tendent vers le plafond

Le bassin est maintenu soulevé

Le genou ne doit pas être trop plié

Le bassin est maintenu soulevé

UNE JAMBE LEVÉE △

En position de Plan Incliné, maintenez la tête en arrière et inspirez en levant une jambe vers le plafond. Tenez la posture quelques secondes, puis reposez la jambe et changez de côté.

Les jambes sont bien tendues

Saisissez la cheville ou les orteils du pied opposé

UN BRAS LEVÉ △

Il s'agit d'une variante plus difficile, qui exige une grande concentration. Les genoux sont joints, les épaules le plus parallèles possible au sol. Inspirez et levez un bras vers le plafond. Tenez la posture quelques secondes, puis baissez le bras et répétez l'exercice de l'autre côté.

Tirez la jambe vers la tête

Les jambes doivent rester tendues

BRAS ET JAMBE OPPOSÉS

Vous pouvez vous essayer à cette variante lorsque vous maîtrisez parfaitement les deux précédentes. En position de Plan Incliné, levez une jambe et le bras opposé. Saisissez la cheville ou le pied et tirez la jambe vers la tête. Tenez ainsi quelques secondes. Revenez en position de Plan Incliné et répétez l'exercice en inversant.

Le pied repose bien à plat sur le sol

Le bassin reste soulevé le plus haut possible

LA FLEXION AVANT
Variantes avec les Genoux Pliés

La plupart des gens souffrent de douleurs lombaires, en raison d'une station assise trop prolongée. En effet, celle-ci affaiblit les muscles et provoque des tensions dans le bas du dos. Variante de la Flexion Avant, Janu Sirsasana se montre salutaire pour soulager ces maux en étirant et fortifiant les régions lombaire et thoracique.

L'EXERCICE PRÉPARATOIRE
Asseyez-vous, la jambe gauche allongée devant vous, la droite pliée de façon à poser la plante du pied sur l'intérieur de la cuisse gauche. De la main droite, exercez de souples pressions sur le genou droit pendant 1 minute.

Regardez droit devant vous, le dos bien droit

Le corps ne doit pas pivoter

1 En inspirant, tendez les bras au-dessus de votre tête, tout en les gardant collés aux oreilles. Étirez-vous le plus possible.

Le poids du corps repose également sur les deux fesses

La jambe gauche est allongée

Exercez une légère pression pour amener le genou droit le plus près possible du sol

La jambe gauche est allongée

2 En expirant, penchez-vous en avant à partir des hanches pour aller saisir votre pied gauche. Le corps reste droit. Tenez la position d'abord 10 secondes, puis jusqu'à 1 minute. Inspirez en revenant à la position 1 et changez de côté.

La tête s'incline vers l'avant

Les mains tiennent le pied droit ; les orteils se tendent vers la tête

La poitrine est amenée le plus près possible de la cuisse

Les coudes sont posés au sol, de part et d'autre de la jambe

LA FLEXION AVANT EN DEMI-LOTUS

Si vous êtes souple, vous pouvez aborder cet asana en demi-Lotus plié. Le pied gauche est posé haut sur la cuisse droite ; glissez le bras gauche derrière le dos pour le saisir. Penchez-vous vers l'avant et saisissez le pied droit de la main droite. Tenez cette position tant qu'elle reste confortable. Inspirez bien en reprenant la position assise. Répétez cet exercice en changeant de jambe.

Les épaules sont équidistantes du sol

La tête s'incline vers l'avant, le dos est droit

Utilisez la respiration pour vous décontracter dans la posture

LE PAPILLON

En position assise, pliez les genoux pour amener les plantes des pieds l'une contre l'autre. Saisissez les pieds des deux mains et placez-les vers vous (jusqu'à la région pubienne si vous le pouvez) en gardant le dos droit. Essayez d'ouvrir le plus possible les genoux et de les tirer au maximum vers le bas pour toucher le sol. Ensuite, imprimez aux genoux un mouvement de balancier pour détendre hanches et bas du dos. Poursuivez le mouvement de 1 à 3 minutes avant d'aborder les variantes ci-dessous.

La tête est tenue bien droite

Le dos reste bien droit, de façon à permettre un relâchement des muscles de la région lombaire

Les pieds sont tenus le plus près possible du corps

Imprimez aux genoux un mouvement de balancier qui les amène à toucher le sol

Les plantes des pieds sont l'une contre l'autre

BHADRASANA

Genoux bien écartés (voir ci-dessus), utilisez les coudes pour pousser en douceur vers le sol genoux et cuisses. Expirez en portant la poitrine vers les pieds. Tenez la posture d'abord 10 secondes, puis jusqu'à 1 minute dès lors que vous réussissez à vous relaxer et à bien respirer dans la position.

Les coudes exercent une pression ferme sur l'intérieur des cuisses et des mollets

En tenant la position, la poitrine est amenée progressivement vers le sol

Les pieds sont joints, plantes l'une contre l'autre

LA POITRINE AUX PIEDS

Cette variante a un effet d'étirement plus prononcé sur l'intérieur des cuisses et les hanches. Tournez la plante des pieds joints vers le haut et amenez la poitrine sur les pieds.

Le dos reste droit

Le menton est tenu en avant

Les coudes repoussent en douceur les genoux vers le sol

Les gros orteils sont orientés vers l'extérieur

57

LA FLEXION AVANT
Variantes Jambes Écartées

Il s'agit d'une série d'asanas, proposés par degré croissant de difficulté. Ils ont pour effet d'assouplir la colonne vertébrale, de fortifier la région lombaire, de renforcer les muscles du cou, de masser la thyroïde et d'accroître la capacité thoracique. Ils contribuent également à stimuler les fonctions digestives.

LA POSITION DE DÉPART

Elle est valable pour toutes les postures décrites sur ces deux pages. Écartez les jambes le plus largement possible. Tendez les bras au-dessus de la tête en inspirant profondément. Vous pouvez désormais commencer les asanas, en veillant à bien revenir à la position de départ entre deux exercices.

Les deux bras sont parallèles, tendus au-dessus de la tête

Les bras sont bien droits

Tête, cou et colonne vertébrale sont alignés, étirés vers le haut

Les jambes sont écartées au maximum

Les pieds sont bien perpendiculaires au sol, les orteils orientés vers le corps

VARIANTE 1 ▽

Pivotez vers la gauche et penchez la poitrine vers la jambe gauche en expirant. La fesse droite ne quitte pas le sol. Vous ne tirerez pleinement bénéfice de l'exercice que si le corps est parfaitement aligné. Tenez la posture 10 à 30 secondes en respirant profondément. Expirez en remontant. Changez de côté.

Les épaules doivent être parallèles au sol

Les mains vont saisir le pied gauche et le tirent vers la tête

La poitrine et le menton sont posés sur la jambe

Cette jambe doit rester tendue

Les coudes sont posés sur le sol, de part et d'autre de la jambe

VARIANTE 2 ▽

En position de départ, faites pivoter le corps vers la droite. Expirez en inclinant le torse vers la jambe gauche pour aller saisir le pied gauche des deux mains. Le coude gauche est posé sur le sol à l'intérieur du genou gauche. Tenez la posture de 10 à 30 secondes, le regard levé vers le plafond. Expirez et changez de côté.

Les jambes sont tendues

Pour accentuer l'étirement, imaginez que vous essayez de poser votre colonne vertébrale sur votre cuisse

Respirez bien tout en tenant la posture

L'épaule droite est le plus en arrière possible

Les fesses prennent fermement appui sur le sol

L'épaule gauche se place à l'intérieur de la jambe gauche

VARIANTE 3 ▽

Expirez en portant le corps vers l'avant. Saisissez les orteils de chaque pied. Respirez lentement et profondément. Efforcez-vous de poser le front sur le sol, voire le menton si vous y parvenez, ainsi que la poitrine.

Tout mouvement brusque ou par à-coups doit être évité

Le dos doit rester droit, de façon à étirer au maximum la région lombaire

Les mains doivent toucher les pieds

La respiration doit aider à pousser la posture à son maximum

LA TORTUE – *KURMASANA* ▽

Cette posture étire la colonne vertébrale, stimule et régénère le système nerveux. À partir de la position de départ, pliez légèrement les genoux. Glissez les bras, bien tendus, en dessous de ceux-ci, paumes tournées vers le sol. Tendez lentement les jambes en allant poser la poitrine sur le sol.

Un excellent exercice pour les grands utilisateurs d'ordinateur, car il décontracte la région des épaules, trop sollicitée

Les bras sont glissés sous les jambes, paumes des mains à plat

Le menton est tendu vers l'avant et repose sur le sol, ce qui provoque un afflux sanguin dans la région de la gorge et réalise un massage de la thyroïde

LE TIR À L'ARC

Le Tir à l'Arc, ou Akarna Dhanurasana, étire les jambes, les hanches et la région lombaire, fortifie les mains et les pieds, et active les impulsions nerveuses dans ces parties du corps. La pratique régulière de cet asana combat les rhumatismes également et peut même soulager la sciatique.

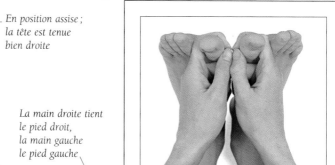

LA POSITION DE DÉPART

Asseyez-vous, jambes tendues. Saisissez de la main droite le pied droit, et de la main gauche le pied gauche. Cette position est valable pour toutes les postures décrites sur ces deux pages. Veillez à la reprendre entre deux exercices.

En position assise ; la tête est tenue bien droite

La main droite tient le pied droit, la main gauche le pied gauche

Le dos est droit

LA POSITION DES MAINS
Glissez l'index entre les deux premiers orteils, de façon à crocheter le gros orteil.

Les pieds sont joints, les talons bien étirés et les orteils orientés vers la tête

LE TIR À L'ARC CLASSIQUE

Cette posture doit son nom au fait qu'on l'exécute en tirant une jambe loin en arrière, comme on banderait un arc. Sans lâcher les pieds, pliez le genou droit. Inspirez en pliant le bras droit pour amener le pied droit le plus près possible de l'oreille droite. Respirez bien en tenant la posture. Changez de côté.

C'est le pied qui doit venir se placer près de l'oreille, non la tête qui va à la rencontre du pied

La tête et la poitrine restent droits

Ce pied doit rester maintenu

Regardez droit devant vous

La jambe levée est tendue

L'autre jambe, également tendue, reste au sol

Le pied gauche reste bien en contact avec le sol

LE TIR À L'ARC *Variantes*

Le Tir à l'Arc peut se révéler également très bénéfique pour le corps par des variantes, lesquelles diversifient la position des bras et des jambes.

VARIANTE 1

Le corps solidement en appui sur les fesses, inspirez en levant la jambe droite. Amenez-la tendue près de l'oreille droite, sans lâcher le pied gauche. Tenez la posture le temps de 2 à 5 respirations profondes. Changez de côté. Répétez l'exercice deux ou trois fois.

VARIANTE 2

Pliez le genou gauche et amenez-le sur la cuisse droite. Tenez le pied gauche de la main droite. La main gauche va saisir le pied droit. Pliez le coude droit, inspirez et tirez sur le pied gauche pour l'amener vers l'oreille droite. Tenez la posture 3 à 5 secondes. Changez de côté.

Le coude droit est tiré en arrière

La poitrine se redresse

Le bras gauche est tendu

L'index crochète le gros orteil

La jambe droite est tendue

EKA PADA SIRASANA

Eka Pada Sirasana est une posture élaborée, qui étire totalement les régions lombaire et thoracique. Aussi, n'oubliez pas de vous échauffer avant d'entreprendre cette posture, laquelle doit être exécutée sans que vous ressentiez quelque tension que ce soit.

1 Dans la Posture Facile (voir p. 17), levez la jambe droite et placez le pied droit dans le creux du coude gauche. Passez le bras droit à l'extérieur de la jambe levée et croisez les mains. Pendant quelques minutes, balancez-vous tout doucement d'avant en arrière.

La tête est droite

La jambe est tenue soulevée

Le dos est droit

Les bras enveloppent la jambe droite et l'amènent contre la poitrine

2 ▷ Libérez la jambe droite. Saisissez le pied droit à deux mains et essayez sans forcer de poser la plante du pied sur le sternum. Faites lentement remonter le pied vers le menton, puis vers le nez et enfin le front.

Le genou est tourné vers l'extérieur et l'arrière

3 ▽ Lâchez le pied droit. Laissez tomber légèrement l'épaule droite et amenez-la sous le genou droit, puis redressez le corps au maximum.

La jambe passe derrière l'épaule

La tête est redressée

Restez assis le plus droit possible afin d'éviter de comprimer dos et poitrine

4 ◁ Allongez lentement la jambe pour amener le pied derrière la tête. Efforcez-vous de joindre les mains sur la poitrine. Tenez la posture quelques secondes. Répétez l'enchaînement avec la jambe gauche.

Les mains sont jointes sur la poitrine

LE LOTUS

Le Lotus, ou Padmasana, est la
posture classique de la méditation
et du pranayama, dans la mesure
où elle favorise
la concentration.

*Le corps repose sur une
solide base triangulaire*

*Le corps doit être droit ;
tête, cou et poitrine
formant une ligne droite*

*Le genou
droit doit
demeurer en
contact avec
le sol*

*Le pied droit est posé sur
la cuisse gauche aussi
haut que possible, sans
que la position soit trop
inconfortable cependant*

1 △ À partir de la Posture Facile (voir p. 17),
saisissez à deux mains votre pied droit et
placez-le sur votre cuisse gauche. Le pied pivote
de façon que la plante soit tournée vers le haut.

2 Saisissez alors le pied gauche et placez-le
sur la cuisse droite. Pour la méditation,
placez les mains en Chin Mudra ou dans les
autres positions indiquées (voir p. 17).

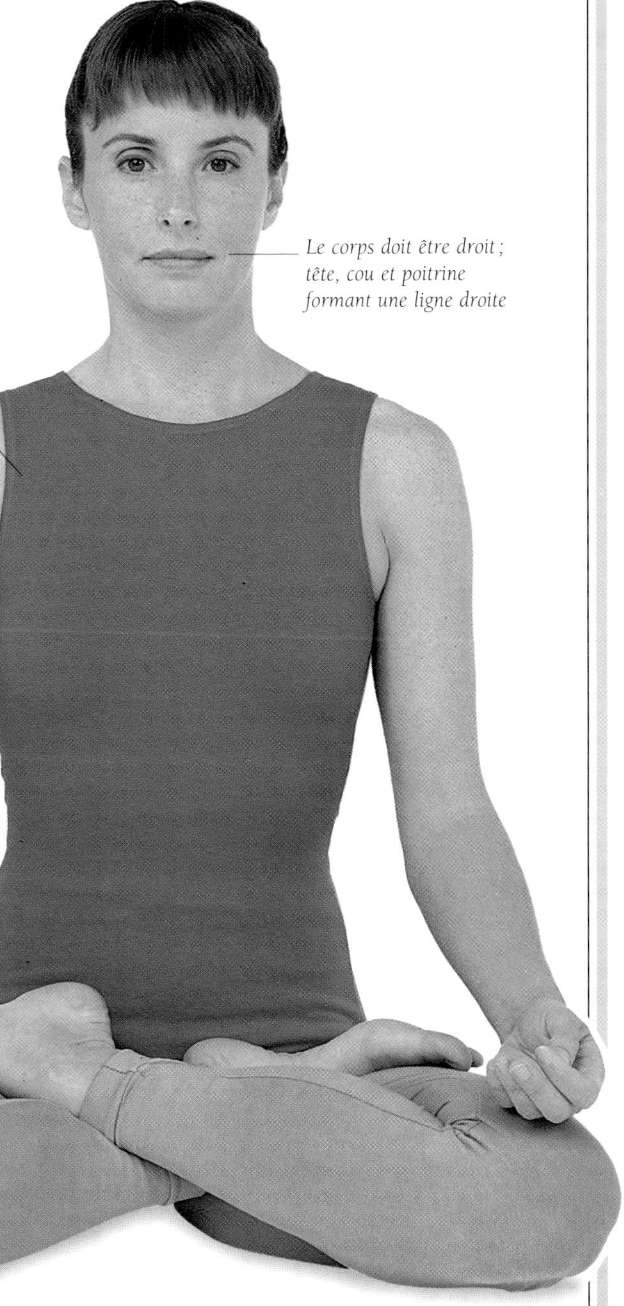

*Les genoux sont en contact
avec le sol*

LES PRINCIPAUX DÉFAUTS

▶ Le(s) genou(x) ne touche(nt) pas le sol.

▶ Le dos est tordu d'un côté.

▶ Le pied est trop bas sur la cuisse.

▶ Le corps penche d'un côté.

▶ Le dos est voûté et comprimé la cage
thoracique, bloquant la respiration.

▶ Les épaules sont tombantes.

▶ La tête n'est pas droite.

▶ Les omoplates sont trop écartées.

▶ Le haut du corps penche vers l'avant
au lieu de rester perpendiculaire au sol.

▶ ATTENTION : pour beaucoup de gens,
surtout parmi les Occidentaux, le Lotus
est une posture difficile à adopter. Elle
n'est pas recommandée aux débutants.

*La tête
n'est pas
droite*

*Les épaules
tombent*

6

LE COBRA

Bhujangasana

Selon le *Gerunda Samhita*, cet asana, qui évoque la forme d'un serpent relevant la tête, apporte de grands bienfaits : « Il augmente la chaleur corporelle, élimine les maladies, et sa pratique éveille la déesse-Serpent (Kundalini) ».

LES BIENFAITS PHYSIQUES

▶ Cette posture assouplit la colonne vertébrale, stimule les nerfs spinaux et provoque un afflux de sang.
▶ Elle développe, masse et tonifie les muscles du dos.
▶ Elle étire et dilate la cage thoracique, ce qui soulage beaucoup les asthmatiques.
▶ La pression sur l'abdomen masse les organes de cette région et favorise la digestion.
▶ Elle prévient les douleurs abdominales et menstruelles.

LES BIENFAITS MENTAUX

▶ Exigeante, cette posture développe la concentration.

LES BIENFAITS PRANIQUES

▶ Elle stimule la circulation du prana dans les méridiens des poumons, de l'estomac, des reins, de la vessie et de la rate.
▶ Elle permet d'éveiller la Kundalini (énergie spirituelle latente), aidant l'individu à se réaliser.
▶ Bhujangasana produit de la chaleur corporelle.

LA POSITION DE DÉPART ▽
C'est une position de relaxation sur laquelle doit également s'achever l'exécution de l'asana. En vous relaxant sur le ventre, respirez profondément.

La tête est tournée d'un côté et repose sur les mains

Les jambes sont décontractées, les orteils sont tournés vers l'intérieur, les talons vers l'extérieur

Le ventre se plaque contre le sol pendant l'inspiration et se soulève lors de l'expiration

1 ▽ Les jambes jointes sont allongées, le front est posé sur le sol. Posez les paumes des mains au sol, sous les épaules. En vous apprêtant à dérouler la colonne vertébrale, imaginez le mouvement lent et gracieux du serpent.

Les coudes sont pliés, légèrement relevés et collés au corps

Les jambes restent jointes

Les doigts sont tournés vers l'avant, leur extrémité est à l'aplomb des épaules

2 Commencez l'exercice la tête penchée en avant et le front touchant le sol.

3 Inspirez et soulevez doucement la tête en effleurant le sol du nez.

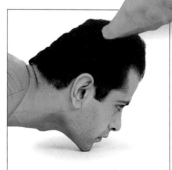

4 Poursuivez le mouvement de la tête en effleurant le sol du menton.

LE PRINCIPAL BIENFAIT

Le Cobra se place systématiquement au début
d'une série de Flexions Arrière. Il permet d'étirer
en douceur la colonne vertébrale et d'assouplir
la région lombaire. La pression modérée qui
s'exerce sur l'abdomen au cours de l'exercice
réalise un massage bénéfique des organes internes.

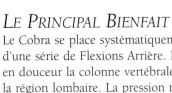

*Les vertèbres cervicales
s'enroulent*

*L'étirement s'exerce
essentiellement
dans la région
lombaire*

*La pression,
modérée, masse
l'abdomen*

5 Tendez le menton en avant et étirez le dos vers
le haut et l'arrière, tout en plaquant le bassin
au sol et en accentuant le mouvement autant que
vous le pouvez sans ressentir d'inconfort. Tenez
la position 10 secondes au début, puis jusqu'à
1 minute. Pour revenir à la position initiale,
enroulez le dos vertèbre par vertèbre, des reins
à la nuque, en gardant la tête levée jusqu'au bout.
Répétez l'exercice trois à six fois.

*Le mouvement s'accentuera
si vous vous imaginez essayant
de regarder le mur qui est
derrière vous*

*La respiration doit être
régulière pendant tout
l'exercice*

*La tête est complètement
rejetée en arrière*

*Les épaules sont
décontractées*

*Les coudes sont
légèrement pliés
et rentrés, de façon à
éliminer toute tension
au niveau des épaules*

Les jambes sont tendues

*Le ventre reste collé
au sol pour permettre
un étirement maximal
de la colonne vertébrale*

LES PRINCIPAUX DÉFAUTS

▶ Les bras poussent le corps pour lui
faire adopter la posture.

▶ Les bras sont tendus, les épaules
contractées et voûtées.

▶ Le poids du corps ne se répartit pas
également sur les deux bras, ce qui
provoque un déséquilibre.

▶ Le bassin n'est pas en contact avec
le sol.

▶ La tête plonge en avant.

▶ ATTENTION : excellent pour préparer
le corps à la grossesse, le Cobra ne
doit cependant pas être pratiqué par
les femmes enceintes.

*Les épaules ne doivent
pas être contractées
comme ici*

LE COBRA *Variantes*

À partir du moment où vous maîtrisez la posture, il est recommandé de vous essayer à ses variantes, de manière à réaliser un assouplissement maximal de la colonne vertébrale. Ces variantes auront également pour effet de fortifier les muscles du dos et d'augmenter la capacité pulmonaire.

La tête est rejetée en arrière

Le corps se redresse le plus haut possible

LES MAINS LEVÉES EN AVANT

À partir de l'étape 1 du Cobra, levez les mains à 5 cm du sol et enroulez-vous dans la posture sans l'aide des mains. Vous renforcerez ainsi les muscles du dos. Tenez d'abord 10 secondes, puis progressivement jusqu'à 30 secondes.

Les mains sont au-dessus du sol, paumes tournées vers le bas

Les pieds et les jambes sont en contact avec le sol

LES MAINS EN ARRIÈRE

À partir de l'étape 1 du Cobra, croisez les mains derrière le dos. Bras tendus, poussez les paumes vers les pieds en vous enroulant dans la posture. Levez les mains vers le plafond et tenez 10 secondes au moins.

Les bras sont levés le plus haut possible afin d'assouplir les épaules et le haut du dos

La tête est rejetée en arrière

Les mains sont croisées, paumes tournées vers les pieds

PAR-DESSUS L'ÉPAULE

À partir du Cobra complet, tournez la tête pour regarder par-dessus votre épaule droite, en vous efforçant d'apercevoir votre talon gauche. Tenez la posture quelques secondes, puis changez de côté. Revenez en Cobra avant de dérouler la colonne vertébrale ou d'aborder d'autres variantes.

La tête est tournée, et le dos étiré

Les épaules sont décontractées et en arrière

Les coudes sont légèrement pliés

Le bassin reste en contact avec le sol

Avec la maîtrise de la posture, efforcez-vous de conserver les talons joints

LE COBRA ROYAL

À partir du Cobra complet, écartez les jambes et rapprochez le plus possible les mains des hanches. Pour ce faire, beaucoup seront obligés de redresser légèrement les coudes et de prendre éventuellement appui sur l'extrémité des doigts. Pliez ensuite les genoux et amenez les pieds sur votre tête.

Tandis que le dos se cambre, la poitrine se dilate

Le ventre se soulève légèrement du sol

Le bassin reste en contact avec le sol

LE COBRA ROYAL – GENOUX MAINTENUS

Cette dernière variante exige beaucoup de force, de souplesse et de concentration. À partir du Cobra royal, levez les mains l'une après l'autre et allez attraper vos genoux.

La tête est rejetée au maximum en arrière, les pieds viennent se placer sur le sommet du crâne

La respiration doit être très profonde

La poitrine est bombée

Les mains tiennent fermement les genoux et les tirent vers le corps

7

LA SAUTERELLE

Salabhasana

Contre-posture de la Charrue et de la Posture sur les Épaules, la Sauterelle est une flexion arrière sûre et efficace. Il faut néanmoins maîtriser parfaitement la demi-Sauterelle (étapes 1 et 2) avant d'aborder la posture complète (étape 3).

 LES BIENFAITS PHYSIQUES

▶ Cette posture provoque un afflux de sang dans la région de la colonne vertébrale, qu'elle assouplit.
▶ Elle tonifie nerfs et muscles, en particulier ceux du cou et des épaules.
▶ En augmentant la pression abdominale, elle agit sur la fonction intestinale et muscle le ventre.
▶ Elle améliore la digestion.
▶ Elle dilate la poitrine, ce qui soulage ceux qui souffrent d'asthme ou d'autres affections respiratoires.
▶ Elle fortifie les muscles des épaules, des bras et du dos.

 LES BIENFAITS MENTAUX

▶ Elle favorise la concentration.

LES BIENFAITS PRANIQUES

▶ Elle stimule le prana dans les méridiens des poumons, de l'estomac, de la rate, du cœur, du foie, de l'intestin grêle, du péricarde et de la vessie.
▶ « Elle alimente le feu digestif », ce qui signifie qu'elle rend optimale l'utilisation des nutriments.

1 Allongez-vous sur le ventre, les jambes tendues, les mains glissées sous les cuisses.

Les pieds reposent sur le sol

Les genoux sont tendus

Les mains, glissées sous les cuisses, sont jointes

Imaginez-vous essayant de poser le cou à plat sur le sol

2 Inspirez en levant la jambe gauche, sans basculer le bassin ni plier le genou. Bloquez la respiration et tenez cette position de demi-Sauterelle pendant 5 secondes. Expirez en reposant la jambe ; répétez l'exercice en changeant de côté, deux à cinq fois avec chaque jambe.

Les jambes sont tendues

Le mouvement des jambes doit suivre le rythme respiratoire

Le menton est tendu vers l'avant

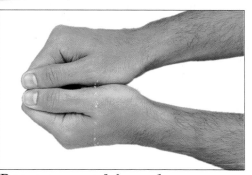

POSITION DES MAINS 1
Joignez les poings et glissez-les sous les cuisses, les poignets collés l'un à l'autre.

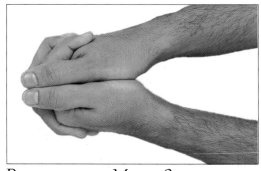

POSITION DES MAINS 2
Si c'est plus confortable, croisez les mains et glissez-les ainsi sous les cuisses.

LE PRINCIPAL BIENFAIT

La Sauterelle assouplit la nuque et fortifie la région lombaire, mais il est important de tendre le menton le plus loin possible si vous voulez parvenir à un résultat. Lors des premières tentatives, vous ne réussirez peut-être qu'à lever très peu les pieds. Ne vous découragez pas pour autant. La pratique aidant, vous accomplirez de rapides progrès.

L'exercice fortifie la région lombaire

La région cervicale est assouplie

3 Lorsque vous vous sentez à l'aise en demi-Sauterelle, abordez la posture complète. Effectuez 3 respirations profondes et, sur la dernière, levez les deux jambes le plus haut possible. Respirez et tenez la posture d'abord 5 secondes, puis progressivement jusqu'à 30 secondes. Posez les jambes et répétez deux à cinq fois l'exercice. Terminez par une relaxation sur le ventre.

Les jambes, tendues, se lèvent le plus haut possible

Les mains sont jointes

Les bras sont tendus et serrés l'un contre l'autre

Le menton se tend vers l'avant

LES PRINCIPAUX DÉFAUTS

▶ Les jambes sont projetées.

▶ Au lieu du menton, c'est le nez ou le front qui repose sur le sol.

▶ Le menton n'est pas sur le sol.

▶ La cambrure est trop prononcée.

▶ Les genoux sont pliés.

▶ Une jambe est plus haute que l'autre.

▶ Les mains sont tordues dans différentes positions.

▶ Au lieu d'être jointes, les mains sont écartées.

▶ Dans la posture, la respiration est bloquée.

▶ ATTENTION : la Sauterelle, qui implique une pression sur l'abdomen, est déconseillée aux femmes enceintes.

Les jambes doivent être levées et non projetées

LA SAUTERELLE *Variantes*

La Sauterelle maîtrisée, votre dos est désormais suffisamment souple pour aborder les variantes – positions que vous exécuterez bien plus facilement en posant les paumes des mains à plat sur le sol. La posture complète, dans laquelle les pieds s'élèvent au-dessus de la tête, est la figure opposée de la Posture sur les Épaules (voir pp. 34-37). Attendez toutefois pour entreprendre les exercices ci-dessous d'être capable de lever les jambes à 45°.

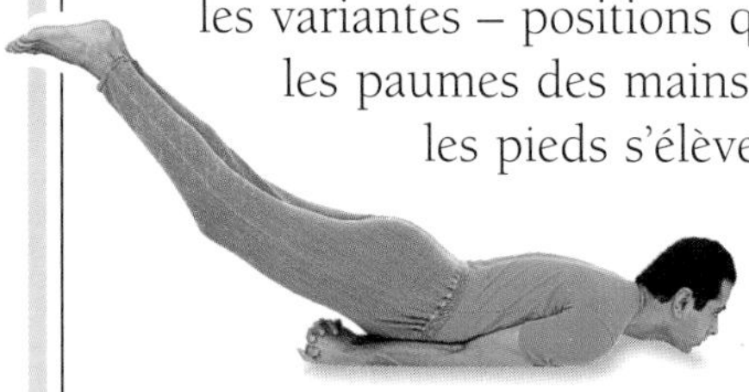

POSITION DE DÉPART

Les jambes sont jointes et tendues

LES JAMBES À LA VERTICALE ▷

À partir de la Sauterelle complète, poussez sur les mains pour faire levier, inspirez et levez les jambes tendues le plus haut possible. Cette position fortifie et assouplit les muscles du dos et des épaules.

Les genoux sont pliés et les pieds se posent sur la tête

Le dos tout entier se cambre

Les pieds sont posés sur le sommet du crâne

Le bassin est levé le plus haut possible

LES PIEDS À LA TÊTE △

Vous pouvez aborder cet exercice à partir du moment où vous êtes capable de tenir les jambes à la verticale. Pliez alors les genoux et, sans effort excessif, tenez la posture en respirant le plus profondément possible. Le poids des jambes fait peu à peu descendre les pieds vers la tête.

La tête est en arrière, le menton tendu le plus possible vers l'avant

Les mains sont jointes, les coudes serrés

Le corps repose sur le menton

LA SAUTERELLE EN LOTUS

Il s'agit d'un asana avancé qui assouplit considérablement
le bassin et les régions cervicale et lombaire.

1 Placez-vous en Lotus (voir
p. 63). Cette variante s'adresse
aux pratiquants déjà confirmés,
capables de tenir longtemps
et confortablement la position
du Lotus.

2 Posez les mains devant vous
et dressez-vous sur les genoux.
Avancez les mains de plus en plus
loin : le corps s'étire.

*Le buste s'étire vers l'avant,
le bassin vers l'arrière*

*Le dos
et la tête
sont droits*

*Le pied droit
est posé sur
la cuisse gauche*

*Le pied gauche
est posé sur
la cuisse droite*

*Les genoux
touchent le sol*

*Les mains
s'avancent afin
de permettre
l'étirement
du corps*

*Efforcez-vous
d'amener
le bassin au
contact du sol*

*Les mains sont sous les cuisses,
les coudes le plus serrés possible*

3 ◁ Allongé sur le ventre, le bassin
le plus près possible du sol, tendez
le menton en avant. Placez vos mains
l'une sur l'autre et faites-les glisser
sous le corps.

4 ▽ Inspirez et levez les genoux
le plus haut possible. Respirez
profondément en tenant la position
aussi longtemps que vous vous y sentirez
à l'aise. Vous pouvez répéter trois ou
quatre fois l'exercice. Quittez ensuite
le Lotus et relaxez-vous sur le ventre.

*Les genoux sont
levés le plus haut
possible*

*Poussez sur
les mains*

8

L'ARC

Dhanurasana

L'Arc fléchit le dos en arrière et sur toute sa longueur, conjuguant et renforçant ainsi les bienfaits du Cobra et de la Sauterelle. Ces trois postures constituent d'ailleurs un tout, à exécuter en un enchaînement. L'Arc, contre-posture de la Charrue et de la Flexion Avant, demande un effort, dont vous serez vite récompensé.

LES BIENFAITS PHYSIQUES

► Cette posture masse et tonifie les organes internes.
► Elle modèle et raffermit les muscles du ventre, des bras, des jambes et du dos.
► Elle développe la cage thoracique, ce qui est bénéfique en cas d'asthme ou d'autres affections respiratoires.
► Elle renforce et assouplit la colonne vertébrale.
► Elle favorise la digestion.
► Elle améliore le maintien.

LES BIENFAITS MENTAUX

► Une pratique régulière de cette posture entraîne équilibre et harmonie.
► Elle favorise de façon notable la concentration et la détermination.

LES BIENFAITS PRANIQUES

► La personne qui pratique régulièrement la posture de l'Arc déborde de vitalité, de vigueur et d'énergie.
► L'Arc stimule les méridiens des poumons, de l'intestin grêle, de l'estomac, du foie et de la vessie.

Les genoux sont pliés, les pieds touchant les fesses

Les mains saisissent les chevilles et non les pieds, lesquels restent décontractés

Le front est posé sur le sol

1 △ Allongé sur le ventre, posez le front sur le sol. Pliez les genoux et saisissez vos chevilles. Les pieds doivent rester bien décontractés, ainsi que les orteils, de manière à éviter une trop grande dépense d'énergie.

2 ▷ Bras tendus, inspirez en levant simultanément la tête, le torse et les jambes, de manière à former un arc. Tenez la posture d'abord 10 secondes, puis progressivement jusqu'à 1 minute. Répétez l'exercice trois à cinq fois.

L'ARC DYNAMIQUE

À partir de l'Arc, roulez en avant en expirant, puis en arrière en inspirant, en imprimant ainsi à votre corps un mouvement de bascule. Les bras doivent rester tendus.

Basculez en avant pendant l'expiration

Basculez en arrière pendant l'inspiration

LE PRINCIPAL BIENFAIT

L'Arc réalise une flexion arrière complète de la colonne vertébrale et fait travailler les muscles du dos, de la nuque à la région lombaire.

Le corps repose entièrement sur le ventre

Les pieds sont tirés le plus possible vers le haut

La tête en arrière, regardez le plafond : cela vous permettra de lever la poitrine plus haut

Les bras restent tendus

Tout le corps se cambre

LES PRINCIPAUX DÉFAUTS

▶ Au lieu d'agripper les chevilles, les mains tiennent les pieds.

▶ Seule la partie supérieure du corps se soulève.

▶ Les coudes sont pliés et les genoux le sont trop, de sorte que les pieds viennent toucher les fesses.

▶ Le corps se tord d'un côté.

▶ La tête retombe en avant au lieu de se tendre vers le haut et l'arrière.

▶ ATTENTION : la posture entraînant une pression sur l'abdomen, l'Arc est déconseillé aux femmes enceintes.

Les genoux sont trop pliés

La poitrine ne quitte pas le sol

L'ARC *Variantes*

Une fois que votre dos et vos épaules se sont assouplis, vous pouvez aborder les variantes de la posture. L'enchaînement proposé ci-dessous vous permet de passer de l'Arc à l'Arc Complet, lequel exige une flexion encore plus soulignée de la colonne vertébrale.

1 Allongez-vous sur le ventre, genoux fléchis, pieds en l'air. Soulevez la tête et la poitrine. Tendez alors légèrement les orteils vers l'extérieur et saisissez fermement vos pieds en glissant les mains dessous.

La tête et la poitrine se redressent

2 Faites pivoter progressivement les épaules, en pliant et en baissant les coudes, que vous amènerez ensuite devant vous ; simultanément, soulevez les genoux et les cuisses.

Les pieds sont tenus fermement, pendant que les coudes exécutent un mouvement de rotation

L'EXERCICE PRÉPARATOIRE – LE DEMI-ARC

1 Si vous ne parvenez pas à réaliser l'Arc Complet, passez par une alternative à cette variante. Cet exercice vous assouplira. Pliez le coude droit et glissez la main sous le pied droit pour l'agripper.

4 Répétez l'exercice du côté gauche : le bras droit repose sur le sol et supporte le poids du corps, le bras gauche attrape le pied gauche. Concentrez-vous afin de bien tenir votre pied. Le coude est ramené près du visage et pointe vers l'avant.

2 Ramenez le coude vers le bas, puis vers l'extérieur et devant vous.

3 Tenez la posture 30 secondes au moins avant de relâcher le pied.

Le bras d'appui permet de pousser le corps vers le haut

3 Cambrez tout le corps pour parvenir à l'Arc Complet. Respirez bien et tenez la position tant qu'elle reste confortable. Dès que vous maintenez la posture 30 secondes au moins, essayez de vous balancer d'avant en arrière sans lâcher les pieds.

Les coudes sont orientés vers le haut et l'avant

La tête est rejetée en arrière

La poitrine est bombée

Les cuisses se lèvent le plus haut possible

LES PIEDS À LA TÊTE

À partir de l'Arc Complet, efforcez-vous, lentement et en douceur, d'aller poser les pieds au sommet de votre crâne.

Les pieds sont posés sur la tête

LES PIEDS AUX ÉPAULES

Plus difficile encore, cette variante demande de poser les pieds sur les épaules, ce qui exige une très grande souplesse de la colonne vertébrale et des épaules.

Le dos est extrêmement cambré

La tête se situe dans
le prolongement du corps

Pieds et jambes sont
légèrement écartés

Vous devez sentir
l'étirement qui s'exerce
dans le haut du dos,
la poitrine et le bassin

Les pieds reposent
à plat sur le sol

La tête et les épaules
restent en contact
avec le sol

Le corps est prêt
à se cambrer
davantage

Les coudes sont
pliés, les bras de
part et d'autre
de la tête

Les paumes des mains sont
posées à plat sur le sol,
les doigts orientés vers
les épaules

LA ROUE
Chakrasana

Cet asana fortifie beaucoup les muscles
de l'abdomen et des cuisses. Il assouplit
dos et hanches, et a la réputation de
soulager les affections de la
trachée et du larynx, et
de favoriser la mémoire.

1 Allongez-vous sur le dos, les genoux
pliés. Les pieds sont posés à plat sur
le sol, contre les fesses. Tendez les bras
et saisissez une cheville avec chaque main.

2 Les pieds, la tête et les épaules
toujours en contact avec le sol,
cambrez-vous le plus possible. Respirez
profondément en maintenant la posture
10 secondes au moins. Reposez les fesses
au sol durant quelques instants, puis
répétez l'exercice trois à cinq fois.

3 Lorsque vous exécutez facilement
l'étape 2 (ce qui peut demander
plusieurs semaines de pratique), vous
pouvez alors aborder l'étape présente.
Le bassin levé le plus haut possible,
lâchez les chevilles et placez les mains
au sol derrière les épaules.

4 Pieds et genoux parallèles, poussez
fortement sur les mains et les pieds
pour soulever votre corps. Le cou s'étire
en arrière et le sommet du crâne
se pose sur le sol, préparant ainsi
à la posture de la Roue.

Le bassin se soulève

Les personnes les
plus souples peuvent
s'efforcer de tendre
les jambes

La tête tombe
entre les bras

Les bras
restent
tendus

5 Inspirez en tendant les bras, poussez
bassin et poitrine le plus haut possible.
Laissez pendre la tête. Respirez profondément
en tenant la posture 10 secondes au moins
au début. Dès que vous pouvez la tenir
30 secondes sans inconfort, vous pouvez
entreprendre les variantes des pages suivantes.

Les pieds ne doivent pas être
tournés vers l'extérieur : ils
entraîneraient les hanches,
ce qui affecterait l'alignement
correct du corps

LES PRINCIPAUX DÉFAUTS

▶ Le bassin s'affaisse.

▶ La tête est posée sur le sol.

▶ Pieds et genoux sont tournés
vers l'extérieur.

▶ Les jambes ne sont pas tendues.

▶ Le bassin pivote vers l'extérieur,
ce qui déséquilibre le corps.

▶ Les pieds ne reposent pas à plat.

▶ Le dos n'est pas suffisamment
cambré.

▶ Le corps bascule d'un côté.

▶ Les mains ne forment pas
une ligne droite avec la tête.

▶ Les bras ne sont pas tendus.

Le dos
n'est pas
suffisamment
cambré

POSITION DE DÉPART

LA ROUE *Variantes*

Ces variantes vous sont accessibles à partir du moment où vous tenez la Roue sans difficulté. Elles ont pour objectif d'accentuer l'assouplissement de la colonne vertébrale, des épaules et du haut du dos.

BRAS OU JAMBE LEVÉS

En Roue, inspirez et levez une jambe. Tenez la posture quelques secondes. Revenez en Roue et changez de jambe. Reprenez l'exercice avec les bras, et attendez de le maîtriser parfaitement avant d'aborder la variante suivante.

La jambe est tendue vers le plafond

Le bassin se soulève

Les bras sont tendus

BRAS ET JAMBE LEVÉS

Levez une jambe le plus haut possible, puis le bras correspondant, main posée sur la cuisse. Tenez la posture 30 secondes. Répétez deux ou trois fois l'exercice de chaque côté.

La jambe doit être levée le plus haut possible, avant que la main se pose sur la cuisse

Les deux hanches doivent rester au même niveau, sous peine de faire basculer le corps d'un côté

LA ROUE, DÉPART DEBOUT

Les pratiquants confirmés peuvent amorcer la Roue en se tenant debout, en position de départ, ce qui entraîne une flexion arrière de toutes les parties du dos, du cou, des épaules et des membres. Relaxez-vous en fin d'étape 1.

2 ▽ Tendez les bras dans le prolongement de la tête et poursuivez le mouvement descendant, en regardant le sol derrière vous et en vous imaginant y poser les mains.

3 ▽ Posez lentement les mains au sol en pliant bien les genoux. Tenez la posture tant qu'elle est confortable, en respirant très profondément. Vous pouvez répéter plusieurs fois l'exercice.

La tête est rejetée en arrière

Le bassin est poussé vers l'avant

1 ◁ Les pieds parallèles et les épaules bien droites, cambrez-vous en laissant pendre les bras pour poser les mains, décontractées, sur l'arrière des jambes.

Les genoux sont fléchis

Le dos se cambre

Les mains se préparent à toucher le sol

Les bras sont tendus de part et d'autre de la tête

Le bassin est soulevé

Les mains sont parallèles, posées à plat sur le sol

LES MAINS AUX PIEDS

À partir de la Roue, approchez les mains des pieds par petites étapes, comme si vous cherchiez à saisir vos talons. Si vous pratiquez très régulièrement cet exercice, vous verrez votre colonne vertébrale et les articulations de vos épaules s'assouplir rapidement.

Les bras sont tendus

Pieds et genoux sont parallèles et orientés vers l'avant

LES COUDES AU SOL

À partir de la variante mains aux pieds, saisissez vos talons, pliez les bras et posez les coudes au sol. Pendant l'inspiration, levez une jambe et amenez-la le plus près possible de la poitrine. Tenez la posture tant que vous vous y sentez à l'aise, puis revenez à la position de départ et changez de jambe. Répétez deux ou trois fois l'exercice de chaque côté.

Le genou est tendu

La jambe s'étire

Le bassin est poussé le plus possible vers le haut

Les genoux et les pieds restent orientés vers l'avant

La tête se rapproche le plus possible des pieds

Le talon est tenu très fermement à deux mains

LES FLEXIONS ARRIÈRE

Les postures proposées ici débutent toutes en Vajrasana, c'est-à-dire en position assise sur les talons, pieds et genoux joints, tout le poids du corps reposant sur les genoux et les chevilles. Les Flexions Arrière, exigeant une très grande stabilité du corps, donnent de la souplesse à la colonne vertébrale. Vajrasana, qui ressemble à Namaz – l'attitude de la prière musulmane –, est la posture zen classique de la méditation.

LA POSITION DE DÉPART : VAJRASANA

Asseyez-vous sur les talons, pieds et genoux serrés. Cette posture stimule la digestion. Vous pouvez l'adopter pendant ou après un repas.

Le dos est droit

Les mains sont posées sur les cuisses

LE CHAMEAU

Cet asana, dit de la Fermeté ou Roue Assise, fortifie notablement les cuisses tout en assouplissant le dos.

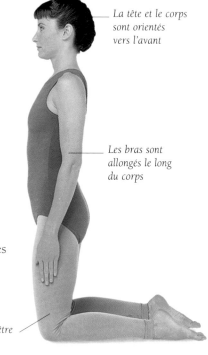

La tête et le corps sont orientés vers l'avant

Les bras sont allongés le long du corps

1 ▷ En Vajrasana, inspirez en redressant le corps en position agenouillée. Les jambes et les pieds ne changent pas de position.

Jambes et pieds peuvent être joints ou très légèrement écartés

2 ▽ Attrapez votre talon droit avec votre main droite. Si vous n'y parvenez pas, posez la main droite à plat sur le sol derrière le pied droit.

La flexion intervient d'abord d'un côté

Les genoux ne doivent pas s'écarter

3 ▽ Laissez retomber la tête en arrière et tendez la main gauche pour saisir le talon gauche (ou posez la main derrière le pied). En respirant régulièrement, tenez la posture d'abord 10 secondes, puis jusqu'à 1 minute. Reposez les fesses sur les talons et relaxez-vous dans la posture de l'Enfant (voir p. 26). Répétez deux ou trois fois l'exercice.

La poitrine se tend vers le haut

La tête retombe en arrière

Le dos, les bras et les jambes forment un rectangle

Hanches et cuisses s'étirent vers l'avant

LE DIAMANT COMPLET – *POORNA SUPTA VAJRASANA*

Le Diamant en Vajrasana est une posture élaborée qui n'est pas des plus faciles à réaliser.

1 ▷ En Vajrasana, et bien que vos jambes soient glissées sous vous, laissez-vous aller en arrière comme pour vous allonger sur le sol. Les talons doivent rester parallèles.

La nuque, la tête et les épaules reposent sur le sol

Les talons sont bloqués sous le corps, les jambes sont parallèles

Le dos est plat, le plus proche du sol possible

2 ▷ Placez les mains à plat sur le sol derrière les épaules, comme pour vous préparer à la Roue (voir pp. 76-77). Soulevez la poitrine en faisant glisser le sommet du crâne sur le sol.

La poitrine et le cou s'étirent

Le bassin et la poitrine sont soulevés

3 ◁ En poussant sur les mains, soulevez le bassin et la poitrine le plus haut possible. Rapprochez progressivement les mains et la tête des pieds, sans vous décourager si vous n'y parvenez pas ; la souplesse nécessaire viendra avec la pratique. Tenez la posture d'abord 10 secondes, puis progressivement jusqu'à 1 minute. Relaxez-vous dans la posture de l'Enfant (voir p. 26) avant de poursuivre votre séance.

La tête et la nuque sont rejetées en arrière

Le sommet du crâne touche le sol et se place le plus près possible des pieds

Les avant-bras reposent sur le sol

Les mains agrippent fermement le pied : si le bras gauche pose problème, saisissez le poignet droit de la main gauche

La poitrine est bombée comme celle d'un pigeon

LE PIGEON – *KAPOTHASANA*

En Vajrasana, dégagez la jambe droite et faites-la pivoter vers l'arrière jusqu'à ce que la cuisse droite se trouve à côté du pied gauche. Pliez la jambe droite et, en passant les bras devant la tête, aller attraper à deux mains le pied levé. Laissez tomber la tête en arrière en vous efforçant d'amener le pied droit sur le sommet du crâne. Tenez la posture 10 secondes. Revenez en Vajrasana et changez de côté.

Le dos et la nuque se cambrent, faisant fléchir toute la partie supérieure du dos

LE CROISSANT DE LUNE
et ses Variantes

Il s'agit d'une excellente flexion arrière, qui a pour effet d'étirer aussi hanches, cuisses et jambes. L'enchaînement extrêmement fluide des positions favorise l'équilibre et la concentration. Vous y gagnerez la paix intérieure, à condition de pratiquer l'exercice avec application. Les variantes sont à exécuter successivement des deux côtés.

1 En Vajrasana (voir p. 80), redressez-vous sur les genoux et posez le pied droit à plat devant vous.

Les yeux regardent droit devant

Le genou droit est plié

Les mains sont jointes sur la poitrine, paume contre paume

Le pied est allongé, orienté vers l'arrière

La poitrine se redresse, le dos est droit

Le devant du tibia et le cou-de-pied sont en contact avec le sol

2 ▷ Joignez les mains sur la poitrine dans la position de la Prière. Tenez la posture quelques instants pour parvenir à l'équilibre physique et mental nécessaire à l'exécution du Croissant de Lune.

La cuisse doit se redresser

LES MAINS À LA CHEVILLE

Lorsque votre colonne vertébrale est suffisamment souple, accentuez le Croissant de Lune pour saisir à deux mains le talon de la jambe gauche. Imaginez le geste abouti même si vous ne le réalisez pas totalement.

La tête s'étire vers l'arrière, en direction du pied

Le pied droit prend fermement appui sur le sol

La cuisse est presque parallèle au sol

Le pied gauche est allongé ; l'équilibre est parfois plus facile à acquérir orteils retroussés

Le dos est le plus droit possible

ANJANEYASANA

À partir de l'étape 1, tendez la jambe avant et poussez le talon perpendiculaire au sol, jusqu'à réaliser un grand écart. La tête et le buste restent orientés vers l'avant. Joignez les mains dans la position de la Prière.

La poitrine est maintenue droite ; elle ne doit pas s'incliner

Les jambes doivent rester tendues ; le bassin ne doit pas pivoter

Les bras se tendent vers l'arrière

3 Tendez les bras au-dessus de la tête et inclinez-les vers l'arrière pour entraîner tout le corps. Les mains doivent rester jointes et les bras collés aux oreilles. Tenez la posture tant qu'elle demeure confortable. Changez de côté.

La poitrine et tout le haut du corps se courbent en arrière

La tête est rejetée en arrière

Le genou est à l'aplomb des orteils

Le bassin est soulevé et poussé vers l'avant

Le cou-de-pied reste en contact avec le sol

Le pied droit reste posé à plat sur le sol

LE CROISSANT EN *ANJANEYASANA*

En Anjaneyasana, tendez les bras au-dessus de la tête, paumes jointes. Cambrez-vous dans la position du Croissant de Lune, de manière à faire travailler colonne vertébrale, hanches et cuisses.

Les coudes sont orientés vers le plafond

La tête s'étire vers le pied

LE PIGEON EN *ANJANEYASANA*

En Anjaneyasana, pliez la jambe placée en arrière, attrapez le pied à deux mains et tirez-le vers le haut, en faisant passer vos bras devant votre tête, jusqu'à l'amener sur le crâne.

La poitrine est bombée, orientée vers l'avant

La tête est rejetée en arrière, les bras sont collés aux oreilles

Le bassin ne doit pas pivoter

Les jambes, tendues, doivent reposer sur le sol

Les hanches ne doivent pivoter ni d'un côté ni de l'autre

Le talon s'étire vers l'avant

83

9

LA TORSION VERTÉBRALE

Ardha Matsyendrasana

Succédant aux flexions avant et arrière, la Torsion Vertébrale réalise un étirement latéral des vertèbres, des muscles du dos et des hanches. Cet important asana doit son nom sanskrit au grand sage Matsyendra, l'un des premiers à avoir professé le Hatha Yoga.

🕉 LES BIENFAITS PHYSIQUES

▶ En mobilisant latéralement la colonne vertébrale, la posture lui conserve son élasticité.
▶ Elle soulage les douleurs musculaires du dos et des hanches.
▶ Elle élimine les adhérences sur les articulations, engendrées par les rhumatismes.
▶ Elle entretient les articulations en stimulant la production de synovie.
▶ Elle tonifie les racines des nerfs spinaux et le système nerveux sympathique ; elle provoque un afflux de sang dans ces régions.
▶ Elle combat les problèmes digestifs par un massage des muscles abdominaux.
▶ Elle stimule la vésicule biliaire, la rate, les reins, le foie et l'intestin.

🕉 LES BIENFAITS MENTAUX

▶ Elle combat de façon efficace les dérèglements du système nerveux.

🕉 LES BIENFAITS PRANIQUES

▶ Elle augmente le Prana Sakti (vigueur et vitalité) en combattant les affections.
▶ Elle accroît la Kundalini (énergie spirituelle latente).

Les épaules sont parallèles au sol

Les fesses doivent reposer sur le sol, à gauche des pieds

Le dos est bien droit

Le pied droit est posé à plat sur le sol

Les genoux sont joints

1 △ Asseyez-vous sur les talons, le dos droit. Sans déplacer les genoux, redressez-vous pour vous asseoir à gauche des pieds.

2 △ Levez le genou droit et placez le pied droit à plat sur le sol. Faites pivoter la jambe gauche, le pied gauche venant se placer sous la jambe droite.

Le dos est droit, les épaules sont horizontales

La main droite est posée à plat sur le sol, près de la hanche, de façon à ne supporter que peu ou pas de poids

Le bras gauche est tendu à la verticale

Le genou droit, plié, passe au-dessus du gauche

3 ◁ Allez poser le pied droit à l'extérieur de la cuisse gauche. Posez la main droite au sol derrière vous, sans trop l'éloigner du corps, ce qui vous déséquilibrerait et comprimerait la colonne vertébrale au lieu de l'étirer. Levez le bras gauche et tournez la tête vers la droite.

La tête se tourne, le regard porté par-dessus l'épaule

Les épaules sont parallèles au sol

Le manque de souplesse de la colonne vertébrale se manifeste souvent par une déperdition de mobilité latérale

Le bras gauche repousse le genou droit

LE PRINCIPAL BIENFAIT

La Torsion Vertébrale réalise un étirement latéral de tout le corps. Ainsi mobilisée, la colonne vertébrale conserve son élasticité.

4 Allongez le bras gauche sur la partie externe de la jambe droite pour aller saisir la cheville droite. Tenez la posture d'abord 30 secondes, puis jusqu'à 1 minute, en respirant profondément. Relâchez la torsion et changez de côté.

La main droite tient la cheville gauche

Le dos est droit

Le bénéfice de l'asana est perdu si le corps se penche au lieu de se tordre

LES PRINCIPAUX DÉFAUTS

▶ Les fesses se soulèvent.

▶ Le dos n'est pas droit, de sorte que le corps s'incline au lieu de se tordre.

▶ La tête est tournée du mauvais côté.

▶ La main pend sans saisir la cheville.

▶ Le pied n'est pas à plat sur le sol.

▶ La main placée en arrière est trop loin du corps.

POSITION DE DÉPART

LA TORSION VERTÉBRALE
Variantes

« Matsyendrasana stimule l'appétit par la distribution du feu gastrique et combat de terribles maladies [...] Il éveille la Kundalini et stabilise la lune. » *Hatha Yoga Pradipika*

AVEC PRISE DE POIGNET

À partir de l'étape 4 de la Torsion Vertébrale (voir p. 85), lâchez la cheville. Sans laisser l'épaule s'affaisser, glissez la main gauche sous le genou droit pour aller saisir derrière le dos le poignet droit. Tenez la posture comme vous le feriez dans la torsion de base. Relâchez la prise, ramenez le corps au centre et changez de côté.

La tête est tournée de façon à regarder par-dessus l'épaule droite

Il est essentiel de conserver le dos droit et les épaules horizontales

Le pied droit est posé à plat sur le sol ; les orteils ne doivent pas se soulever et le pied ne doit pas pivoter vers l'extérieur

Au fil de l'assouplissement, le pied est de plus en plus rapproché de la hanche

UNE VARIANTE POUR LES DÉBUTANTS

Ceux qui ne réussissent pas à adopter la posture de base (voir pp. 84-85) peuvent essayer cette variante à une jambe tendue. Asseyez-vous, les jambes allongées. Pliez le genou droit, passez la jambe droite par-dessus la gauche et posez le pied droit à côté du genou gauche. La main droite est posée à plat derrière vous. Levez le bras gauche et saisissez la cheville droite en passant par l'extérieur du genou droit. Le dos reste le plus droit possible.

La tête est tournée de manière à regarder par-dessus l'épaule droite

Les épaules sont parallèles au sol

La main droite est posée à plat sur le sol

Le bras gauche repousse le genou droit

La main gauche saisit la cheville droite

La jambe gauche est tendue

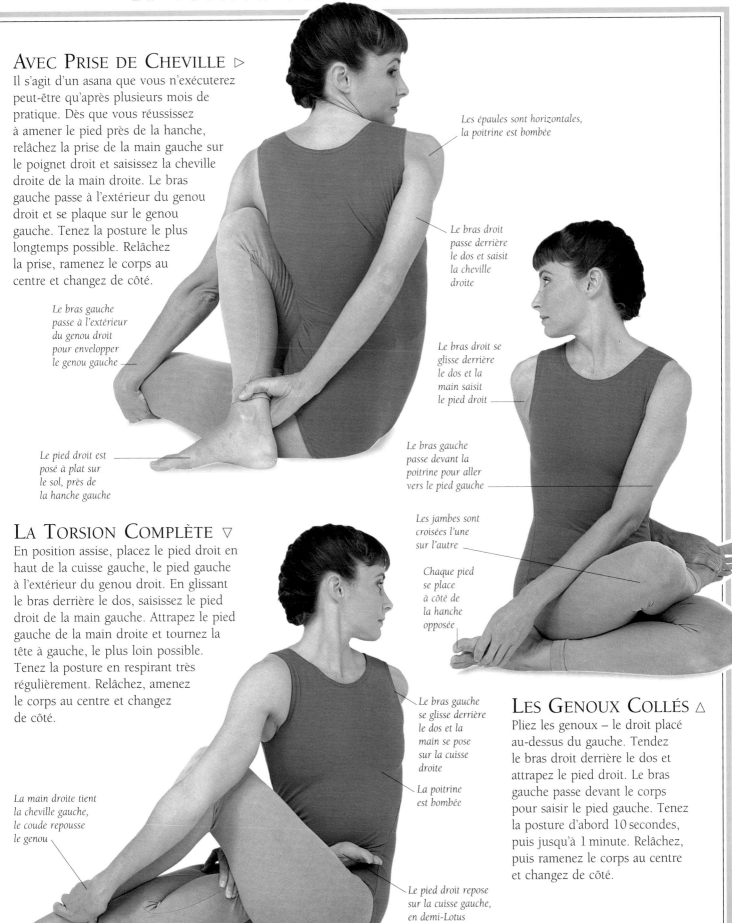

AVEC PRISE DE CHEVILLE ▷

Il s'agit d'un asana que vous n'exécuterez
peut-être qu'après plusieurs mois de
pratique. Dès que vous réussissez
à amener le pied près de la hanche,
relâchez la prise de la main gauche sur
le poignet droit et saisissez la cheville
droite de la main droite. Le bras
gauche passe à l'extérieur du genou
droit et se plaque sur le genou
gauche. Tenez la posture le plus
longtemps possible. Relâchez
la prise, ramenez le corps au
centre et changez de côté.

*Les épaules sont horizontales,
la poitrine est bombée*

*Le bras droit
passe derrière
le dos et saisit
la cheville
droite*

*Le bras gauche
passe à l'extérieur
du genou droit
pour envelopper
le genou gauche*

*Le bras droit se
glisse derrière
le dos et la
main saisit
le pied droit*

*Le pied droit est
posé à plat sur
le sol, près de
la hanche gauche*

*Le bras gauche
passe devant la
poitrine pour aller
vers le pied gauche*

*Les jambes sont
croisées l'une
sur l'autre*

LA TORSION COMPLÈTE ▽

En position assise, placez le pied droit en
haut de la cuisse gauche, le pied gauche
à l'extérieur du genou droit. En glissant
le bras derrière le dos, saisissez le pied
droit de la main gauche. Attrapez le pied
gauche de la main droite et tournez la
tête à gauche, le plus loin possible.
Tenez la posture en respirant très
régulièrement. Relâchez, amenez
le corps au centre et changez
de côté.

*Chaque pied
se place
à côté de
la hanche
opposée*

*Le bras gauche
se glisse derrière
le dos et la
main se pose
sur la cuisse
droite*

*La poitrine
est bombée*

*La main droite tient
la cheville gauche,
le coude repousse
le genou*

LES GENOUX COLLÉS △

Pliez les genoux – le droit placé
au-dessus du gauche. Tendez
le bras droit derrière le dos et
attrapez le pied droit. Le bras
gauche passe devant le corps
pour saisir le pied gauche. Tenez
la posture d'abord 10 secondes,
puis jusqu'à 1 minute. Relâchez,
puis ramenez le corps au centre
et changez de côté.

*Le pied droit repose
sur la cuisse gauche,
en demi-Lotus*

10A

LE CORBEAU

Kakasana

Le Corbeau et le Paon (voir pp. 90-91) sont deux postures d'équilibre et comptent parmi les plus bénéfiques. Vous pouvez choisir l'une ou l'autre comme asana de base.

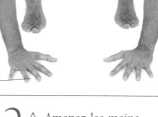

(voir pp. 90-91)

☩ LES BIENFAITS PHYSIQUES

▶ Cette posture fortifie bras, poignets et épaules.
▶ Elle étire les muscles de ces régions, qu'elle assouplit.
▶ Elle « lubrifie » les articulations, tendons et ligaments de la partie supérieure du corps.
▶ Elle dilate la poitrine et augmente la capacité respiratoire.
▶ Elle revitalise nerfs et muscles des mains, des poignets et des avant-bras.
▶ Elle entraîne la poitrine et les bras aux efforts.

☩ LES BIENFAITS MENTAUX

▶ Posture d'équilibre, le Corbeau exige de la concentration et développe cette faculté.
▶ Elle apporte l'équilibre mental et augmente la vigilance.
▶ Elle procure une intense sensation d'équilibre intérieur.
▶ Elle prépare bien à la méditation.

☩ LES BIENFAITS PRANIQUES

▶ Cette posture combat la léthargie.
▶ Elle fait circuler l'énergie dans les épaules et dans les bras.

La tête est droite

1 ◁ Accroupissez-vous, les pieds à plat sur le sol, les bras glissés entre vos genoux.

Les doigts sont largement écartés, légèrement tournés vers l'intérieur

2 △ Amenez les mains à l'aplomb des épaules, paumes à plat sur le sol, doigts écartés.

Les pieds et les genoux sont largement écartés

3 ▷ Pliez et écartez les coudes, de façon à pouvoir prendre appui sur le haut des bras. Hissez-vous sur les orteils et calez les genoux sur le haut des bras.

Les mains sont à l'aplomb des épaules

La tête est levée

Le poids du corps repose alors sur les orteils

4 ◁ Concentrez-vous sur un point du sol, devant vous. Inspirez profondément, puis, en retenant votre souffle, penchez-vous vers ce point en amenant peu à peu votre poids sur les mains. Vous sentez s'étirer avant-bras et poignets. Cet exercice combat efficacement les tendinites.

Le poids du corps repose ici sur les poignets, les orteils contribuent au bon maintien de l'équilibre

LE PRINCIPAL BIENFAIT

Du fait qu'elle exige une concentration totale, la posture du Corbeau améliore cette faculté. Elle provoque également un afflux d'énergie dans les bras, les poignets et les mains.

Les hanches sont soulevées

Les nerfs et les muscles des avant-bras sont fortifiés

Les pieds sont levés, mais décontractés

La tête doit être maintenue levée, sinon le poids du corps vous fera basculer en avant

Les genoux reposent sur le haut et l'arrière des bras

5 Faites porter totalement votre poids sur les mains et levez lentement les pieds au-dessus du sol. En cas de difficulté, soulevez d'abord un pied, puis l'autre. Respirez très profondément en tenant la posture tant qu'elle reste confortable. Si vous ne parvenez pas à soulever les pieds, reportez-vous à l'étape 4, jusqu'à fortifier suffisamment bras et poignets (voir variantes du Corbeau, pp. 92-93).

LES PRINCIPAUX DÉFAUTS

▶ La tête retombe en avant.

▶ Les mains ne sont pas dans la position requise.

▶ Le poids du corps est mal réparti.

▶ La concentration est insuffisante.

▶ Les doigts sont serrés au lieu d'être largement écartés.

Le corps est en déséquilibre

Tout le poids du corps est réparti sur les mains

10B

LE PAON

Mayurasana

Avec sa somptueuse queue, le paon symbolise, dans la tradition indienne, la beauté et l'immortalité. La posture du Paon a les mêmes effets que celle du Corbeau (voir pp. 88-89).

LES BIENFAITS PHYSIQUES

► Cette posture combat tous les problèmes digestifs : la pression exercée par les coudes masse l'appareil digestif.
► Elle soulage les problèmes de digestion, de constipation, de diabète et de tassements.
► Elle fortifie les muscles des bras et des poignets, et assouplit ces derniers.
► Elle développe l'équilibre et favorise un bon maintien.

LES BIENFAITS MENTAUX

► Elle renforce l'équilibre mental, la concentration et la détermination.
► Elle aide à lutter contre la léthargie, les sensations de faiblesse et d'impuissance.
► Elle soulage certains désordres mentaux.

LES BIENFAITS PRANIQUES

► L'appui sur les coudes stimule la circulation pranique dans les méridiens de la rate, des reins, du cœur, des poumons, de l'intestin grêle et du péricarde.
► Elle éveille la Kundalini Shakti (soit le potentiel psychique).

1 ◁ Asseyez-vous sur les talons, genoux largement écartés. Levez les bras devant vous à l'horizontale, paumes tournées vers le plafond : coudes, avant-bras et mains se touchent.

Les genoux sont largement écartés

2 ▽ Posez les paumes des mains à plat sur le sol, doigts tournés vers l'arrière. Penchez-vous en avant pour poser le ventre sur les coudes.

Les fesses reposent sur les talons, lesquels sont joints

Les coudes sont pliés, exerçant une pression sur la région abdominale

Les mains sont posées à plat sur le sol et entre les genoux, doigts tournés vers le corps

Les coudes doivent rester serrés

3 ▷ Poursuivez le mouvement en baissant bien la tête pour aller poser le front au sol. Si la pression exercée sur les poignets vous semble excessive, pratiquez l'exercice quelques jours, voire quelques semaines, à ce stade avant de passer à l'étape 4.

Les jambes sont
bien tendues

4 △ Tendez une jambe
en arrière, puis l'autre.
Cette position fortifie et assouplit
poignets et avant-bras.

Le corps est en appui sur
les orteils, les mains
et la tête

LE PRINCIPAL BIENFAIT

Le Paon est surtout bénéfique par
la pression qu'exercent les coudes
sur l'abdomen. Les organes internes
sont ainsi massés et revitalisés,
et de très nombreux problèmes
digestifs écartés.

La pression exercée
par les coudes
masse les organes
internes

5 ▽ Levez la tête. Le corps est alors
en appui sur les mains et les orteils.
Respirez profondément et amenez
progressivement le poids du corps
vers l'avant.

Le poids du corps
repose sur les orteils
et les mains

Les mains
sont orientées
vers les pieds

6 ▽ C'est l'effet de balancier réalisé
par le déplacement du poids du
corps qui doit vous amener à soulever
les pieds. Tenez la posture d'abord
10 secondes, puis progressivement
jusqu'à 1 minute. Répétez
deux ou trois fois l'exercice
avant de vous reposer.

Jambes, tronc et tête sont
alignés et parallèles au sol

Le corps est
en équilibre
sur les
mains

Une respiration régulière
permet de ressentir les
bienfaits de la pression
exercée par les coudes
sur l'abdomen

La tête est
maintenue levée

Les jambes sont
lancées en l'air

Les coudes
sont écartés

LES PRINCIPAUX DÉFAUTS

▶ Les jambes sont lancées
vers le haut.

▶ Les coudes sont disjoints.

▶ Le poids se déporte
sur un côté, ce qui
déséquilibre le corps.

▶ Les mains sont tournées
vers l'extérieur.
▶ ATTENTION : du fait de
la pression exercée sur
l'abdomen, le Paon est
déconseillé aux femmes
enceintes.

LE CORBEAU *Variantes*

Ces asanas, destinés à préparer le corps et l'esprit à la méditation, sont des postures d'équilibre, qui améliorent le pouvoir de concentration.

Les bras sont tendus

Les jambes sont déportées à gauche des bras

Les mains sont posées à plat sur le sol, les doigts largement écartés

LE CORBEAU DE CÔTÉ – *PARSWA KAKASANA*
Cet exercice débute en position accroupie, les genoux déportés à gauche du corps.

1 ◁ Posez les mains à plat sur le sol, dans le prolongement des épaules, et avancez la main droite de 5 cm de façon à bien préparer la position d'équilibre.

2 ▷ Concentrez-vous sur un point du sol situé à 50 cm devant vous. Amenez lentement le poids de votre corps en avant sur le bras gauche et soulevez les pieds au-dessus du sol. Tenez le plus longtemps possible en respirant profondément. Répétez trois à six fois et changez de côté.

La tête doit être maintenue levée

Les bras sont presque tendus, le corps se soulève au-dessus du sol

Les jambes sont jointes, les genoux, pliés, reposent sur le bras gauche

La tête doit rester levée, le regard fixé sur un point du sol, devant le corps

Les genoux sont tendus

Le corps est le plus parallèle au sol possible

La main droite est placée un peu en avant de la gauche

LA POSTURE EN COURBE – *VAKRASANA*
À partir du moment où vous vous sentez à l'aise dans le Corbeau de Côté, vous pouvez allonger les jambes sur le côté, une posture qui exige plus de force et de concentration.

LE GRAND ÉCART LATÉRAL

Prenez la position du Corbeau (voir pp. 88-89), les genoux reposant sur les bras. Étirez alors lentement les jambes en grand écart latéral. Tenez la posture tant qu'elle reste confortable.

Les pieds sont tendus de chaque côté du corps

L'intérieur de la cuisse repose sur le bras

Les mains sont dans le prolongement des épaules

Par cet exercice, les muscles des épaules et des poignets sont fortifiés

LE COQ – *KUKUTASANA* ▷

Il s'agit d'un asana difficile qui exige une grande souplesse des hanches. En Lotus (voir p. 63), glissez chaque bras entre mollet et cuisse pour aller poser les mains à plat sur le sol. Faites basculer le poids du corps vers l'avant et placez-vous en équilibre sur les mains.

Les bras supportent tout le poids du corps

Chacun des pieds repose sur la cuisse opposée

LE PAON
Variantes

Exercez-vous à ces variantes dès que vous pouvez tenir assez confortablement le Paon (voir pp. 90-91). Si vous réussissez le Lotus, peut-être trouverez-vous le Paon en Lotus plus facile à exécuter que le Paon traditionnel.

Le dos et les jambes forment une ligne droite

LES TALONS EN L'AIR

En Paon, allez poser lentement le menton au sol, en maintenant le corps droit et en levant les jambes oblique. Tenez la position pour autant qu'elle reste confortable.

Le menton vient toucher le sol ; les pieds sont levés en oblique

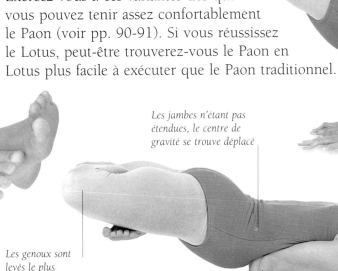

Les jambes n'étant pas étendues, le centre de gravité se trouve déplacé

Les genoux sont levés le plus haut possible

Les mains supportent tout le poids du corps

Les coudes prennent appui sur le diaphragme

LE PAON EN LOTUS

Prenez la position du Lotus (voir p. 63). Dressez-vous sur les genoux en vous aidant des mains, penchez-vous en avant et, coudes posés contre le diaphragme, suivez les instructions qui vous amèneront en posture Paon : le mouvement se trouvera facilité par le déplacement de votre centre de gravité.

L'ARBRE

Ici sont proposés des équilibres qui font appel, pour la plupart, plus au mental qu'au physique. Il s'agit, en effet, d'exercices qui développent le sens de l'équilibre et la force musculaire, mais surtout la faculté de concentration et la cohésion de la pensée.

1 ▽ Debout en équilibre sur le pied droit, pliez le genou gauche, et, avec la main, amenez la plante de votre pied gauche sur la cuisse droite, genou tourné vers l'extérieur.

2 ▽ Fixez un point choisi droit devant vous. Lâchez le pied et joignez les mains sur la poitrine en position de Prière. Trouvez votre équilibre dans la position.

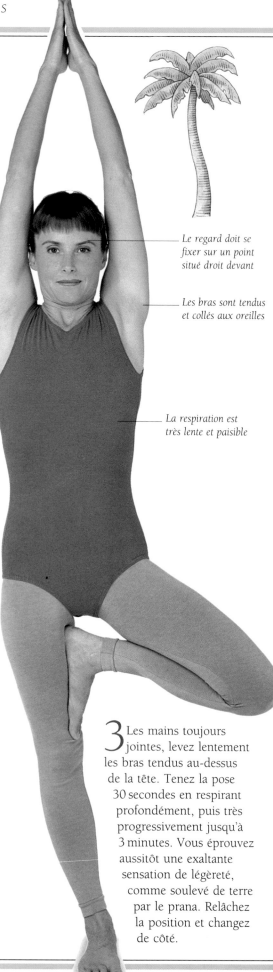

Le regard doit se fixer sur un point situé droit devant

Les bras sont tendus et collés aux oreilles

La respiration est très lente et paisible

Tête, nuque et colonne vertébrale doivent former une ligne droite ; ne vous penchez pas en avant

Le pied gauche est posé à plat sur l'intérieur de la cuisse droite

La jambe droite est tendue ; le genou ne doit pas être plié

Les mains sont jointes sur la poitrine

Le corps est en équilibre sur la jambe droite

LES PRINCIPAUX DÉFAUTS

▶ Le corps penche d'un côté ou se tord sous la poussée d'une hanche.

▶ Le genou d'appui est plié ou tourné.

▶ Les paumes ne sont pas jointes.

▶ Les bras ne sont pas suffisamment tendus au-dessus de la tête.

▶ Les pouces sont croisés, au lieu d'être côte à côte.

▶ Au lieu de rester à l'extérieur, le genou plié pivote vers l'avant.

▶ Le regard est fixé vers le bas.

▶ La concentration est insuffisante.

3 Les mains toujours jointes, levez lentement les bras tendus au-dessus de la tête. Tenez la pose 30 secondes en respirant profondément, puis très progressivement jusqu'à 3 minutes. Vous éprouvez aussitôt une exaltante sensation de légèreté, comme soulevé de terre par le prana. Relâchez la position et changez de côté.

LES ÉQUILIBRES AVANCÉS

Il s'agit de postures réservées aux pratiquants les plus souples et les plus entraînés. Il est impératif pour maintenir son équilibre de fixer un point situé droit devant soi.

L'ARBRE EN DEMI-LOTUS ▷

Placez le pied sur la cuisse opposée, en demi-Lotus. Tenez la posture aussi longtemps qu'elle reste confortable et veillez à exécuter la figure des deux côtés.

Le pied gauche est posé en haut de la cuisse droite, comme en demi-Lotus

La respiration est très paisible et régulière

Jambe droite, colonne vertébrale, nuque, tête et bras sont alignés

L'AIGLE – *GARUDASANA* ▽

Debout en équilibre sur la jambe droite, enroulez la jambe gauche autour de la droite pour aller crocheter la cheville. Enroulez le bras gauche autour du bras droit, plié devant le visage. Efforcez-vous de maintenir les paumes des mains jointes bien à plat. Répétez l'exercice en changeant de jambe.

L'épaule est ainsi bien assouplie

La tête est dans le prolongement de la colonne vertébrale ; ne vous penchez pas en avant.

L'équilibre et la concentration du corps et de l'esprit sont renforcés

Les mains sont jointes au-dessus de la tête ou sur la poitrine

Le regard est fixé sur un point situé droit devant

Tête, cou et colonne vertébrale sont alignés

Hanches et membres inférieurs s'assouplissent beaucoup au cours de cet exercice

LA POSTURE SUR LA POINTE DU PIED – *PADANDGUSHTASANA* ▷

Asseyez-vous sur les talons. Placez le pied gauche sur la cuisse droite, en demi-Lotus. Posez les mains au sol à côté de vous et amenez progressivement le poids du corps sur les orteils du pied droit. Joignez les mains sur la poitrine. Tenez la posture aussi longtemps qu'elle reste confortable. Changez de côté.

Le dos et la tête sont bien droits

◁ *VATYANASANA*

Debout, posez le pied gauche sur l'intérieur de la cuisse droite, en demi-Lotus. Pliez lentement le genou droit jusqu'à poser le gauche au sol. Tenez la posture le plus longtemps possible. Changez de côté.

Les fesses sont posées sur le talon du pied droit

NATARAJASANA

Nataraja est l'un des noms donnés à Shiva, qui, par sa danse cosmique, détruit et recrée l'Univers. Il symbolise, entre autres choses, la circulation ininterrompue d'énergie et le renouvellement de matière. « Son » asana étire la partie supérieure du corps et développe l'équilibre.

1 ▷ Debout, pliez le genou droit et levez le pied droit vers la fesse. Saisissez la cheville de la main droite. Tenez la posture jusqu'à vous sentir en équilibre et prêt à aborder l'étape 2.

La main droite tient fermement la cheville

Le corps est en équilibre sur la jambe gauche

2 ▷ Inspirez en tendant vers le plafond le bras gauche et collez-le à l'oreille. Fixez du regard un point situé droit devant vous, de façon à conserver l'équilibre.

Le menton est parallèle au sol

La respiration est lente et régulière

Jambe gauche, colonne vertébrale, cou et tête forment une ligne droite.

3 ▽ Sans lâcher la cheville, basculez tout le corps vers l'avant en respirant de façon normale, tout en tirant le pied droit vers l'arrière. Redressez-vous et levez le genou droit jusqu'à ce que la cuisse soit parallèle au sol.

Le poids du corps est maintenu sur le pied gauche ; efforcez-vous de garder l'équilibre

NATARAJASANA COMPLET

Cette posture difficile développe l'équilibre et réalise une flexion arrière complète du haut du corps.

La main gauche rejoint la droite

1 Dans la position de l'étape 3, glissez la main de la cheville vers les orteils, en faisant pivoter l'épaule comme dans l'Arc Complet (voir p. 74, étape 2). Tenez la posture, puis répétez-la de l'autre côté.

Le bras droit est plié et va chercher en arrière les orteils du pied droit

La tête est rejetée en arrière, permettant la flexion complète de la colonne vertébrale et de la nuque

2 En cambrant le dos, efforcez-vous d'amener le pied sur la tête. Tenez la posture tant qu'elle reste confortable. Lâchez prise, baissez le pied et changez de côté.

Les bras sont dans l'alignement du corps, de part et d'autre du visage

Le corps est en équilibre sur une jambe, laquelle doit rester tendue

4 Fixez du regard un point du sol situé juste en avant du corps. Gardez le bras gauche collé à l'oreille, et basculez tout le corps en avant jusqu'à ce que la poitrine et le bras droit soient parallèles au sol. Tenez la posture tant qu'elle reste assez confortable. Relâchez et changez de côté.

Le pied est tenu levé le plus haut possible

Le bras reste tendu et collé à l'oreille

Le bras droit s'oppose au mouvement de la jambe droite

La respiration, lente et régulière, aide au maintien de l'équilibre

Cuisse droite, colonne vertébrale, cou, tête et bras gauche sont alignés parallèlement au sol

Le pied droit prend fermement appui sur le sol

LES PRINCIPAUX DÉFAUTS

▶ Le genou plié n'est pas suffisamment soulevé.

▶ Le corps pivote vers l'extérieur.

▶ La jambe d'appui est pliée.

▶ Le haut du corps ne se penche pas vers l'avant.

▶ Le bras droit n'est pas parallèle à la cuisse droite.

▶ Le bras gauche n'est pas collé à l'oreille.

▶ La tête est tournée d'un côté.

▶ La main tient le pied levé et non la cheville.

▶ Le pied d'appui n'est pas stable et le corps oscille.

▶ Le regard n'est pas fixé sur un point situé droit devant.

▶ La respiration est irrégulière.

Le haut du corps ne bascule pas en avant

La main tient le pied et non la cheville

11

LA FLEXION AVANT DEBOUT

Pada Hasthasana

C'est la première posture debout. Elle est similaire à Paschimothanasana, la Flexion Avant Assise (voir pp. 52-53). Si l'on dit communément qu'on a « l'âge de sa colonne vertébrale », Pada Hasthasana constitue alors un véritable élixir de jouvence. Elle conserve à l'individu une étonnante jeunesse tout au long de sa vie.

ॐ LES BIENFAITS PHYSIQUES

► Cette posture assouplit la colonne vertébrale et mobilise les articulations.
► Elle revigore l'ensemble du système nerveux.
► Elle étire les tendons et les muscles de l'arrière des jambes et du bas du corps.
► Elle étire également les muscles de la partie postérieure du corps.
► Elle détend le dos et les épaules.
► Elle favorise la digestion.
► Elle stimule le flux sanguin dans la tête, ce qui gomme les rides et vivifie le teint.

ॐ LES BIENFAITS MENTAUX

► Elle améliore la concentration.
► Elle évacue les Tamas (paresse ou inertie) en stimulant les facultés mentales.

ॐ LES BIENFAITS PRANIQUES

► Elle allège le corps par l'expulsion des Tamas.
► Elle purifie et fortifie le Sushumna nadi (le conduit nerveux du corps astral qui permet la méditation).
► Elle stimule l'Apana Vayu (soit le souffle descendant ; une manifestation du prana).

1 Jambes serrées, faites porter le poids du corps sur l'intérieur de la plante des pieds. Inspirez profondément en levant lentement les bras au-dessus de la tête. Vous devez sentir votre corps s'étirer.

Le corps est droit, les bras se lèvent en se collant aux oreilles

Les jambes sont serrées

LA POSITION DES MAINS

Une fois que l'arrière des jambes est suffisamment bien assoupli et que vous parvenez à tenir la posture plusieurs minutes, vous pouvez varier la position des mains, de manière à étirer les muscles différemment.

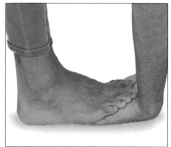

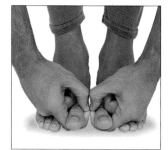

VARIANTE 1
Croisez les bras derrière les mollets, chaque main enserrant le coude opposé.

VARIANTE 2
Redressez légèrement les orteils, glissez les mains dessous et rabaissez les pieds.

VARIANTE 3
Adoptez également cette position en crochetant le gros orteil avec l'index.

2 Expirez en allant saisir lentement l'arrière des jambes à la hauteur qui vous paraît la plus confortable. Respirez calmement en tenant la posture 10 secondes au début, puis jusqu'à 1 minute. Vous sentez vos hanches s'étirer vers le haut.

LE PRINCIPAL BIENFAIT

Pada Hasthasana est un étirement complet de la partie postérieure du corps, de la nuque aux talons. Cet exercice aide à éliminer les tensions dans le dos et au creux des genoux, qui travaillent et s'assouplissent du seul fait que vous vous laissez entraîner vers le bas par le poids de votre corps. La tête et la nuque doivent rester bien décontractées, et les genoux ne doivent pas être pliés.

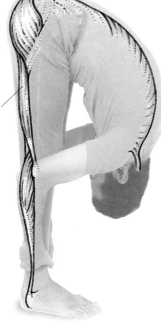

Tous les muscles de l'arrière du corps s'étirent

Le poids du corps doit être bien réparti ; ne laissez pas les hanches basculer vers l'arrière

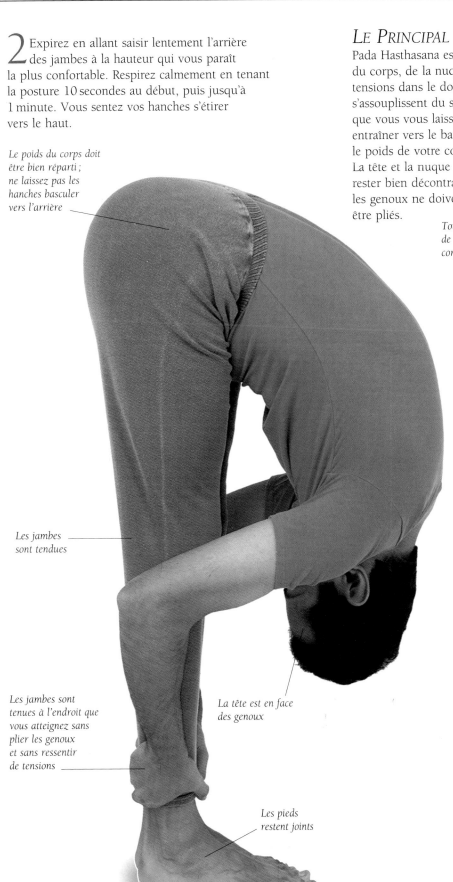

Les jambes sont tendues

Les jambes sont tenues à l'endroit que vous atteignez sans plier les genoux et sans ressentir de tensions

La tête est en face des genoux

Les pieds restent joints

LES PRINCIPAUX DÉFAUTS

▶ Le poids repose sur les talons.

▶ Le dos est arrondi.

▶ Le poids est inégalement réparti, ce qui fait pencher le corps d'un côté.

▶ Les pieds sont écartés et/ou tournés vers l'extérieur.

▶ Les genoux sont pliés.

▶ Les hanches s'affaissent.

▶ Le mouvement de la tête vers les genoux est forcé.

Les jambes devraient être tendues

Les pieds sont trop écartés et ne sont pas parallèles

12

LE TRIANGLE

Trikonasana

Dernier des 12 asanas de base, le Triangle réalise un excellent étirement latéral de la colonne vertébrale. Pratiqué très régulièrement, il renforce les effets des autres postures et procure une agréable sensation de légèreté.

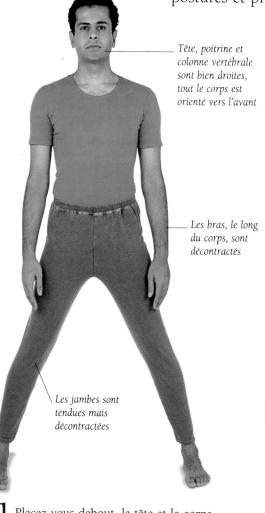

Tête, poitrine et colonne vertébrale sont bien droites, tout le corps est orienté vers l'avant

Les bras, le long du corps, sont décontractés

Les jambes sont tendues mais décontractées

Le bras droit se tend à la verticale, comme si le mouvement était déclenché à partir de la taille

Le tronc ne doit pas pencher vers l'avant

Le bras gauche, décontracté, reste le long du corps

LES BIENFAITS PHYSIQUES

► Cette posture étire les muscles du dos et du tronc.
► Elle masse et stimule les organes abdominaux.
► Elle améliore le transit intestinal.
► Elle favorise l'appétit.
► Elle assouplit hanches, colonne vertébrale, jambes.
► Elle stimule la circulation sanguine.
► Elle est particulièrement conseillée à ceux dont une jambe est plus courte que l'autre suite à une fracture de la hanche ou du fémur.
► Elle soulage le mal de dos et les douleurs de la menstruation.

LES BIENFAITS MENTAUX

► Elle soulage l'anxiété et l'hypocondrie.
► Elle réduit le stress.

LES BIENFAITS PRANIQUES

► Elle stimule bien la circulation pranique dans les méridiens de la rate, du foie, du côlon, de la vésicule biliaire, de l'intestin grêle et du cœur.
► Elle équilibre l'énergie et donne l'impulsion au processus de purification des nadis amorcé par les autres asanas.

1 Placez-vous debout, la tête et le corps bien droits, et les pieds écartés de 1 m environ. Répartissez également le poids du corps sur les deux pieds.

2 Inspirez et levez le plus haut possible le bras droit en le maintenant collé à l'oreille, de façon à étirer tout le côté.

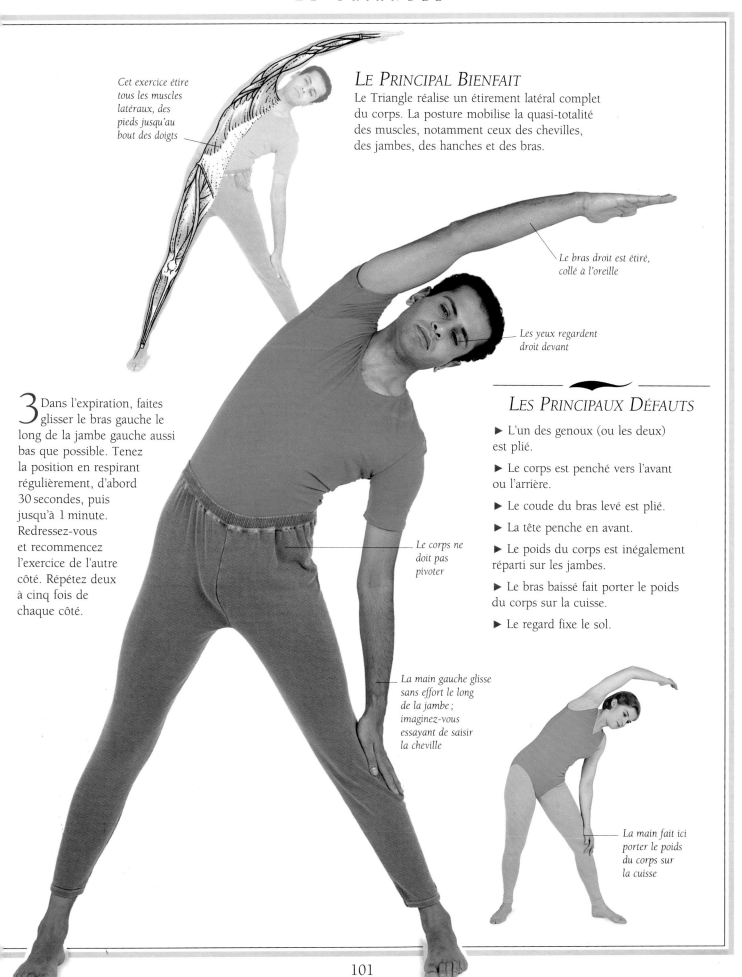

Cet exercice étire tous les muscles latéraux, des pieds jusqu'au bout des doigts

LE PRINCIPAL BIENFAIT

Le Triangle réalise un étirement latéral complet du corps. La posture mobilise la quasi-totalité des muscles, notamment ceux des chevilles, des jambes, des hanches et des bras.

Le bras droit est étiré, collé à l'oreille

Les yeux regardent droit devant

3 Dans l'expiration, faites glisser le bras gauche le long de la jambe gauche aussi bas que possible. Tenez la position en respirant régulièrement, d'abord 30 secondes, puis jusqu'à 1 minute. Redressez-vous et recommencez l'exercice de l'autre côté. Répétez deux à cinq fois de chaque côté.

LES PRINCIPAUX DÉFAUTS

► L'un des genoux (ou les deux) est plié.

► Le corps est penché vers l'avant ou l'arrière.

► Le coude du bras levé est plié.

► La tête penche en avant.

► Le poids du corps est inégalement réparti sur les jambes.

► Le bras baissé fait porter le poids du corps sur la cuisse.

► Le regard fixe le sol.

Le corps ne doit pas pivoter

La main gauche glisse sans effort le long de la jambe ; imaginez-vous essayant de saisir la cheville

La main fait ici porter le poids du corps sur la cuisse

LE TRIANGLE *Variantes*

Les variantes du Triangle proposées ici réalisent
également un étirement latéral complet, ce qui
assouplit le dos et contribue à conserver
à l'individu une allure jeune.

VARIANTE 1

Cet asana introduit dans le
Triangle une flexion avant,
laquelle permet un type
différent d'étirement.

*Les jambes
sont tendues
tout en restant
décontractées*

*Le pied droit forme un angle
droit avec le pied gauche,
tourné vers l'extérieur*

*Les bras sont levés
sans plier les coudes*

*La tête reste dans
le prolongement
de la colonne
vertébrale*

*Les mains
sont croisées
souplement*

1 Debout, pieds écartés de
1 m environ, tournez le
pied gauche vers l'extérieur.
Croisez les mains derrière le
dos et inspirez profondément.

2 Penchez-vous en avant en expirant et allez porter
le front sur le genou gauche. Levez les bras le plus
haut possible et tenez la posture d'abord pendant
10 secondes, puis jusqu'à 1 minute. Inspirez en
revenant à la position de départ. Changez de côté.

VARIANTE 2

Celle-ci détend les
épaules, et peut donc
soulager ceux qui
travaillent assis.

*Les mains sont croisées
très souplement
derrière le dos
et les bras sont
tendus*

1 Debout, les pieds écartés
de 1 m environ, faites
avec la jambe gauche un
grand pas en avant. Pliez le
genou gauche et déportez
le corps vers la gauche.
Inspirez profondément.

2 Expirez en allant poser la tête au sol contre
le talon du pied gauche. Tenez la posture
10 secondes en respirant très régulièrement.
Passez progressivement à 1 minute. Reprenez
la position de départ, puis amenez la tête contre
le pied droit.

*Le genou gauche est plié,
la cuisse est parallèle au sol*

*Les pieds, posés à
plat, sont le plus
écartés possible*

*Le pied gauche
est perpendiculaire
au droit*

*Le genou droit est tendu, les pieds
reposent à plat sur le sol ; le pied droit
ne doit pas pivoter vers l'intérieur*

VARIANTE 3

Cette posture en fente latérale étire le corps de manière très complète. Elle doit être pratiquée des deux côtés.

Le corps est parfaitement droit ; il ne doit pas pencher d'un côté lorsque le genou plie

Le pied droit repose à plat sur le sol

Le corps forme une ligne droite du pied à l'extrémité des doigts

1 ◁ Debout, les pieds écartés de 1 m environ, tournez le pied gauche vers l'extérieur et pliez le genou gauche. Tendez les bras à l'horizontale, à hauteur des épaules.

La cuisse gauche est parallèle au sol

Les bras sont tendus

2 △ Posez la main gauche à plat contre l'intérieur du pied gauche. Levez le bras droit contre l'oreille. Tenez durant 10 secondes, puis 1 minute.

La tête et la poitrine sont bien droites

Les bras sont tendus dans le prolongement des épaules

VARIANTE 4

Cette variante, apparemment simple, requiert une grande souplesse du buste et des épaules. Veillez au bon alignement des bras et du buste.

Les jambes sont tendues

1 ◁ Debout, les pieds étant écartés de 1 m environ, tendez les bras à l'horizontale.

2 ▽ En déclenchant le mouvement de flexion à partir de la hanche, allez poser la main droite contre l'extérieur du pied gauche : épaules, poitrine et bras sont alignés. Levez les yeux vers votre main gauche. Tenez au moins 10 secondes, puis changez de côté.

Bras droit et bras gauche forment une ligne droite

LA RELAXATION FINALE

Une séance d'asanas doit impérativement s'achever comme elle a débuté,
c'est-à-dire par 10 minutes de relaxation, de façon que les parties du corps qui
ont été mobilisées se détendent et que l'individu tire le meilleur parti
des exercices effectués, sur tous les plans – physique, mental et pranique.

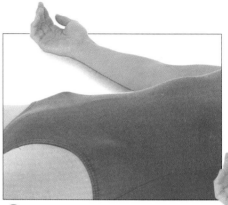

LA POSITION DE DÉPART

Allongez-vous sur le dos, les pieds
étant décontractés et écartés d'au
moins 50 cm. Les bras, également
décontractés, forment avec le corps un
angle d'environ 45°. Détendez les mains
en laissant les doigts se refermer très
légèrement. Fermez les yeux. Respirez
très calmement et très régulièrement.

1 Soulevez la jambe droite à 5 cm du
sol, tendez les muscles, puis relâchez-
les et laissez le pied retomber doucement.
Levez maintenant la jambe gauche,
tendez-la, puis reposez-la.

2 Soulevez le bras droit à 5 cm du
sol, fermez le poing, puis détendez
la main et laissez-la retomber. Répétez
l'exercice avec le bras gauche.

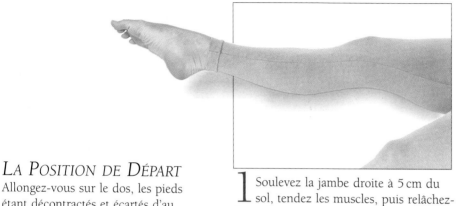

*Les pieds
sont écartés
d'au moins 50 cm*

*Les pieds sont
décontractés*

*Les muscles
des mollets
sont détendus*

3 Soulevez le bassin au-dessus du sol,
contractez les muscles des fesses
le plus possible, puis relâchez.

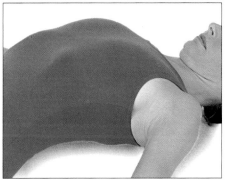

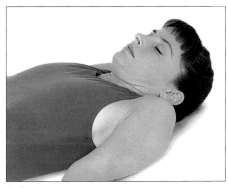

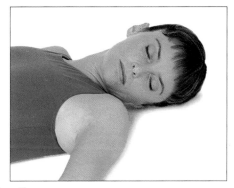

4 Soulevez la poitrine au-dessus du sol, tendez-la, puis relâchez-la.

5 Haussez les épaules. Tendez-les en essayant de les rapprocher l'une de l'autre, puis relâchez-les.

6 Faites souplement rouler la tête de gauche à droite, en posant alternativement l'une et l'autre oreille au sol. Répétez l'exercice deux à trois fois ; ramenez la tête au centre.

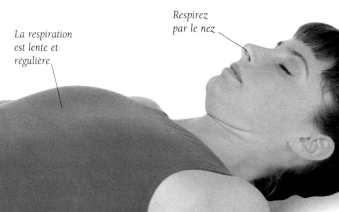

La respiration est lente et régulière

Respirez par le nez

7 Entreprenez maintenant le processus d'autosuggestion décrit ci-dessous. Le corps reste parfaitement immobile.

La position du corps n'exige aucune dépense d'énergie

Les bras forment avec le corps un angle de 45°

Les mains sont détendues, les doigts sont légèrement pliés

L'AUTOSUGGESTION

▶ Fermez les yeux. Imaginez une vague de décontraction prenant naissance dans les orteils et venant submerger le corps tout entier. Détendez mentalement chaque orteil, puis les pieds. Décontractez-les totalement.

▶ Sentez cette vague gagner les jambes, détendre les chevilles, les mollets, les genoux, les cuisses. Sentez-la monter dans les hanches et la région abdominale. Décontractez les organes internes.

▶ Décontractez les fesses et sentez la tension se retirer progressivement de toutes les parties du dos. Vous pesez sur le sol, et vous éprouvez la curieuse sensation de vous y enfoncer.

▶ Sentez la relaxation atteindre la poitrine ; votre respiration est régulière.

▶ Décontractez maintenant les doigts. Passez aux mains, puis sentez se détendre poignets, avant-bras et bras.

▶ Décontractez les épaules. L'onde relaxante gagne le cou et la tête.

▶ Détendez le visage. Desserrez les mâchoires et les dents. Laissez la langue reposer sur la partie inférieure du palais. Relâchez la tension autour des oreilles. Détendez le menton et les joues, puis les yeux et les sourcils, enfin le front et le sommet du crâne.

▶ Essayez de mettre un terme à tout processus de pensée. Écartez vos préoccupations. Maintenez cet état de relaxation totale 5 minutes au moins.

LA
RESPIRATION

« Quand le souffle est superficiel ou irrégulier,
le mental est instable, mais quand le souffle
est calme et profond, le mental est calme et paisible,
et le yogi vit longtemps. Aussi doit-on maîtriser
le rythme de sa respiration. »
Hatha Yoga Pradipika, 2-2

LES ASPECTS PHYSIQUES ET MENTAUX DE LA RESPIRATION

Nous savons tous que personne ne peut vivre plus de quelques minutes sans respirer. Cependant, très peu d'entre nous ont conscience de l'intérêt qu'il y a à respirer correctement. Or, faute de bien respirer, à la fois physiquement et mentalement, nous n'utilisons souvent qu'une fraction de notre potentiel respiratoire.

RESPIRATION ET CIRCULATION

Les cellules, grandes consommatrices d'énergie, participent à l'ensemble des transformations chimiques et physico-chimiques qui se réalisent dans les tissus de l'organisme, telles les dépenses énergétiques, la nutrition. Ce processus, appelé métabolisme, exige de l'oxygène. Lorsqu'on inspire, les poumons s'emplissent d'air, lequel perd son oxygène, qui passe dans la circulation sanguine et enrichit les cellules ; en sens inverse, le gaz carbonique dont le sang a débarrassé les cellules est rejeté avec l'air expiré. Ainsi, le sang oxygéné, propulsé par le cœur, distribue son oxygène aux cellules.

LE CIRCUIT DE L'OXYGÈNE

L'oxygène du sang est véhiculé par les globules rouges : ils contiennent une protéine – l'hémoglobine –, qui leur permet notamment de fixer l'oxygène respiratoire afin d'aller le diffuser dans le corps. L'oxygène est ensuite libéré pour être utilisable par les cellules.

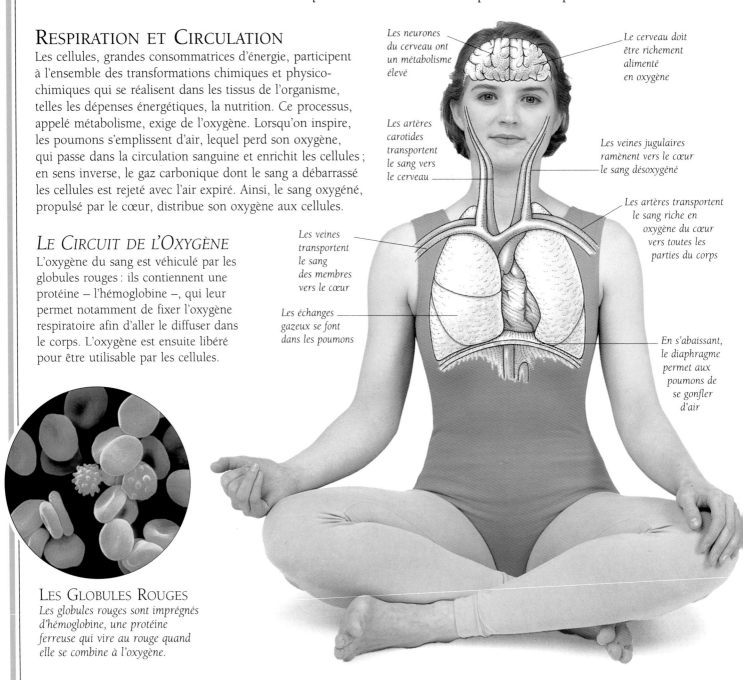

Les neurones du cerveau ont un métabolisme élevé

Le cerveau doit être richement alimenté en oxygène

Les artères carotides transportent le sang vers le cerveau

Les veines jugulaires ramènent vers le cœur le sang désoxygéné

Les artères transportent le sang riche en oxygène du cœur vers toutes les parties du corps

Les veines transportent le sang des membres vers le cœur

Les échanges gazeux se font dans les poumons

En s'abaissant, le diaphragme permet aux poumons de se gonfler d'air

LES GLOBULES ROUGES
Les globules rouges sont imprégnés d'hémoglobine, une protéine ferreuse qui vire au rouge quand elle se combine à l'oxygène.

LES ASPECTS MENTAUX

Les cellules du cerveau ont un métabolisme élevé, aussi le cerveau a-t-il besoin de plus d'oxygène que les autres organes. Lorsqu'on se sent tendu, par exemple, il est généralement conseillé de respirer profondément – l'afflux d'oxygène au cerveau étant le meilleur outil de contrôle du stress. Un manque d'oxygène peut affecter l'équilibre mental, entraîner une difficulté à se concentrer et une hyperémotivité.

LES BIENFAITS MENTAUX DE LA RESPIRATION CORRECTE

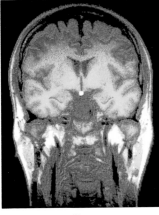

SOLEIL ET LUNE

▶ Une bonne concentration et un esprit plus clair.

▶ Une nette amélioration de l'aptitude à traiter des problèmes sans stress.

▶ Un meilleur contrôle de l'équilibre mental et de l'émotivité, et une meilleure coordination.

L'HÉMISPHÈRE CÉRÉBRAL DROIT

Calme

Intuition

Simultanéité

Holisme

Intériorité

Émotivité

Subjectivité

Féminité

Froid

Lune

Shakti

Yin

Ida nadi

Activités spatiales et non verbales

LES DEUX CERVEAUX

Outre que l'hémisphère gauche est responsable des activités du côté droit du corps, et inversement, les hémisphères cérébraux assument des fonctions spécifiques et gèrent des aspects différents de notre vie. Les techniques respiratoires du yoga contribuent à maintenir l'équilibre entre les deux hémisphères.

L'HÉMISPHÈRE CÉRÉBRAL GAUCHE

Agressivité

Logique

Logique séquentielle

Analyse

Extériorité

Rationalité

Objectivité

Masculinité

Chaud

Soleil

Shiva

Yang

Pingala nadi

Activités mathématiques et verbales

LES ASPECTS PHYSIQUES

Les mouvements respiratoires sont rendus possibles par la mobilité de la cage thoracique et l'élasticité des poumons. Pendant l'inspiration, le diaphragme – muscle séparant thorax et abdomen –, en se contractant, s'abaisse et accroît le volume de la cage thoracique, les poumons se dilatent et l'air les remplit. Pendant l'expiration, le diaphragme se relâche en se soulevant, la cage thoracique reprend ses dimensions initiales et l'air vicié est expulsé.

LES BIENFAITS PHYSIQUES DE LA RESPIRATION CORRECTE

▶ Une respiration correcte fournit en quantité suffisante l'oxygène nécessaire au bon fonctionnement des cellules. En effet, celles-ci, insuffisamment oxygénées, ne peuvent métaboliser correctement les aliments.

▶ Elle permet à l'organisme d'éliminer les sous-produits gazeux nocifs au métabolisme, notamment le gaz carbonique.

LES ÉCHANGES GAZEUX ▷

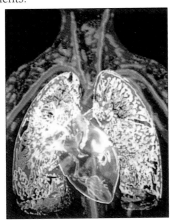

Dans les innombrables alvéoles pulmonaires, l'oxygène de l'air inhalé s'infiltre dans la circulation sanguine pour être distribué aux cellules ; et, en sens inverse, le sang s'y débarrasse de son gaz carbonique, rejeté avec l'air expiré. Ces échanges se font au rythme de la respiration.

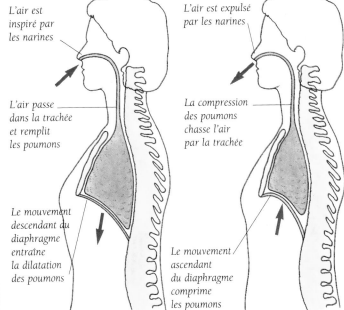

L'air est inspiré par les narines

L'air passe dans la trachée et remplit les poumons

Le mouvement descendant du diaphragme entraîne la dilatation des poumons

L'air est expulsé par les narines

La compression des poumons chasse l'air par la trachée

Le mouvement ascendant du diaphragme comprime les poumons

L'INSPIRATION

La respiration est régie par le mouvement du diaphragme, qui, dans l'inspiration, s'abaisse, augmentant le volume de la cage thoracique : l'air est inspiré et gagne la trachée, les bronches, les bronchioles et les innombrables alvéoles pulmonaires.

L'EXPIRATION

L'expiration est capitale dans les techniques respiratoires du yoga. Lorsque le diaphragme se soulève et avec la contribution des muscles intercostaux, l'air vicié est chassé des poumons, et avec lui les déchets de l'organisme, ou les particules inhalées (poussières, notamment).

LES BIENFAITS PRANIQUES DE LA RESPIRATION

La respiration est considérée comme une manifestation du prana – énergie vitale
universelle circulant dans le corps physique mais appartenant au corps astral.
Les exercices respiratoires du yoga nous enseignent à maîtriser le prana,
et par conséquent l'esprit puisque les deux sont intimement liés.

CHAKRAS ET NADIS

*Six centres d'énergie, ou chakras,
sont répartis le long du Sushumna
nadi – le canal qui correspond
à la moelle épinière dans le corps
physique ; un septième est situé
au sommet du crâne. Les nadis
Pingala et Ida se trouvent de part
et d'autre du Sushumna.*

Pingala
nadi

Ida nadi

Le Sushumna
nadi correspond
à la moelle
épinière dans
le corps
physique

LES MANIFESTATIONS VISIBLES DE L'INVISIBLE

*Nous ne voyons pas le vent, mais le mouvement
des branches d'un arbre nous signale sa présence.
Également invisible, le prana est décelable par l'état
de la respiration, puisque le souffle constitue
sa manifestation extérieure.*

*L'un des six chakras,
ou centres d'énergie,
qui ont pour siège
le Sushumna*

LES BIENFAITS PRANIQUES

Le prana, lorsqu'il est
consciemment maîtrisé, est
une puissante source de vitalité
et de régénérescence. Quand vous
êtes capable de contrôler le prana,
vous pouvez l'utiliser pour votre
développement, pour vous soigner et
vous aider dans les soins aux autres.

LES CHAKRAS

Les chakras sont les centres d'énergie du corps astral (voir p. 8) – points d'intersection des nadis, ou conduits astraux. Ils peuvent ainsi être comparés à des centraux téléphoniques. Les chakras représentent les niveaux vibratoires du corps astral ; lesquels deviennent de plus en plus subtils au fur et à mesure que l'on s'élève. Aussi le yogi utilise-t-il les exercices respiratoires, ou pranayama, pour élever son niveau vibratoire. La configuration énergétique de chaque chakra est figurée par une couleur et un nombre donné de pétales de lotus. Chaque pétale porte un caractère sanskrit, lui-même attaché à un son originel, ou mantra.

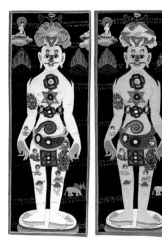

◁ LA RÉPARTITION DES CHAKRAS
Des illustrations anciennes représentent la Kundalini – c'est-à-dire l'énergie spirituelle latente, ou puissance divine – sous la forme d'un serpent lové. La Kundalini, qui est en chaque individu, peut être éveillée ou animée par les techniques et les pratiques du yoga.

LES NADIS

La purification des nadis est essentielle pour le yogi, puisqu'elle assure la circulation du prana. En effet, tout blocage de l'énergie vitale dans les conduits astraux, ou méridiens, peut se traduire par des maladies organiques et mentales. Aussi, les exercices de yoga œuvrent, de la même manière que l'acupuncture, dans le sens de la purification et du renforcement des nadis. Il en existe 72 000, dont les plus importants sont Sushumna, Ida et Pingala. Au cours de l'activité ordinaire, l'essentiel du prana circule dans Ida et Pingala. Ce n'est que lors de la méditation qu'il intervient dans le Sushumna. La respiration « yoga » aide à la circulation et à l'équilibre de l'énergie.

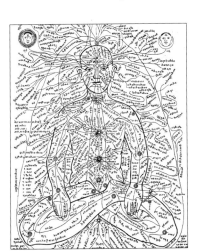

◁ CARTE DES NADIS
De nombreux manuscrits anciens proposent des configurations de l'énergie dans le corps astral. Ici sont représentés les nadis, lesquels véhiculent le prana, ou énergie vitale. Ce sont aussi les méridiens de l'acupuncture.

SAHASRARA CHAKRA
Le chakra du sommet aux mille pétales de lotus symbolise l'Absolu, l'Esprit universel.

AJNA CHAKRA
Situé au milieu du front, c'est le « troisième œil ». Son mantra est Om.

VISHUDDHA CHAKRA
Cinquième centre d'énergie dans le corps astral, il a pour siège un point à la base de la gorge.

Le mantra de Vishuddha chakra est Ham

ANAHATA CHAKRA
Anahata chakra, situé dans la région du cœur, symbolise l'amour cosmique.

Deux triangles, représentant Shiva et Shakti, entourent le mantra Yam

MANIPURA CHAKRA
Situé au niveau du nombril, Manipura chakra correspond au plexus solaire dans le corps physique.

Un triangle, pointe en bas, renferme le mantra Ram

SWADHISHTANA CHAKRA
Le deuxième chakra, représenté avec six pétales de lotus, est situé tout le long du Sushumna dans la région génitale.

Un croissant de lune renferme le mantra Vam

MULADHARA CHAKRA
Ce chakra, localisé à la base de la moelle épinière, est le siège de la Kundalini – l'énergie spirituelle latente.

Le mantra de ce chakra est Lam

LES EXERCICES RESPIRATOIRES

Le pranayama, technique respiratoire du yoga, consiste à établir le lien entre souffle et esprit, physique et mental. Sa pratique aide à rendre subtiles et régulières l'inspiration, l'expiration et la rétention du souffle. Apprendre à contrôler le souffle de vie développe l'introspection et ouvre la voie de la connaissance spirituelle.

LA RESPIRATION ABDOMINALE

Allongez-vous dans la posture du Cadavre (voir p. 26). Prenez conscience de votre respiration, qui doit être lente et profonde. Appliquez-vous à remplir la moitié inférieure de vos poumons en gonflant le plus possible le ventre : ainsi, à l'inspiration, sentez l'abdomen se soulever lentement. Sentez-le se creuser à l'expiration.

Respirez profondément en prenant conscience du mouvement de l'abdomen, qui se gonfle et se creuse

Le visage est décontracté ; la bouche étant fermée, respirez calmement par le nez

Jambes et pieds sont détendus

Les mains reposent, décontractées, sur les côtés ; vous pouvez en poser une sur le ventre pour sentir le mouvement

Les épaules et la nuque doivent rester décontractées

La bouche est fermée

La respiration se fait par le nez

Le haut de la poitrine se dilate en fin d'inspiration

Souplement posée sur la cage thoracique, la main droite la sent se dilater au cours de l'inspiration

Posée sur le ventre, la main gauche le sent se dilater lors de l'inspiration

◁ LA RESPIRATION COMPLÈTE

Pour vérifier que vous respirez correctement, asseyez-vous en tailleur, une main posée sur le ventre, l'autre sur la cage thoracique. Inspirez très lentement : c'est d'abord l'abdomen qui se gonfle, puis la cage thoracique et enfin la région claviculaire. Le phénomène s'inverse à l'expiration. Pratiquez régulièrement cet exercice de respiration complète.

LE REMPLISSAGE ▷ DES POUMONS

Dans la respiration complète, l'inspiration s'opère en trois temps. D'abord, le diaphragme descend, l'air est inhalé dans la partie basse des poumons. Ensuite, les muscles intercostaux ouvrent la cage thoracique : l'air gagne ainsi la partie médiane des poumons. Enfin, l'air emplit toute la partie supérieure de la région pulmonaire (respiration claviculaire).

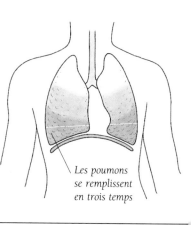

Les poumons se remplissent en trois temps

LA RESPIRATION ALTERNÉE – *ANULOMA VILOMA*

La respiration alternée a pour principal intérêt de fortifier l'appareil respiratoire. Dans la mesure où cette technique respiratoire implique une expiration deux fois plus longue que l'inspiration, elle réalise une excellente élimination de l'air vicié. Anuloma Viloma apaise et équilibre le mental ; il est conseillé d'en effectuer au moins 10 cycles chaque jour. L'exercice débute avec la main droite en position du Vishnu Mudra. Au cours de l'expiration, efforcez-vous de vider complètement les poumons.

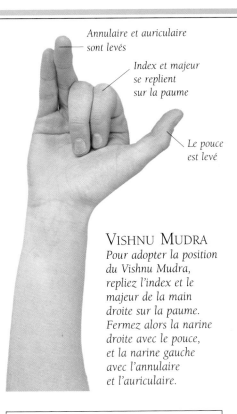

Annulaire et auriculaire sont levés

Index et majeur se replient sur la paume

Le pouce est levé

VISHNU MUDRA

Pour adopter la position du Vishnu Mudra, repliez l'index et le majeur de la main droite sur la paume. Fermez alors la narine droite avec le pouce, et la narine gauche avec l'annulaire et l'auriculaire.

1 Fermez la narine droite. Expirez par la gauche et comptez jusqu'à 4.

2 Fermez les deux narines, retenez votre souffle et comptez jusqu'à 16.

3 Libérez la narine droite, expirez très profondément en comptant jusqu'à 8.

4 La narine gauche fermée, inspirez par la droite en comptant jusqu'à 4.

5 Fermez les deux narines et retenez votre souffle en comptant jusqu'à 16.

6 Dégagez la narine gauche et expirez en comptant jusqu'à 8.

LE COMPTAGE DES CYCLES

Utilisez la main gauche : au début de chaque étape, l'extrémité du pouce se pose sur une nouvelle phalange.

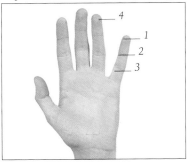

△ Débutez par la première phalange de l'auriculaire. Dix cycles vous amèneront à celle de l'index.

△ Lorsque vous comptez les cycles, laissez reposer le dos de la main gauche sur le genou gauche.

LES TECHNIQUES DE PURIFICATION

Les yogis, pour lesquels la pureté du corps conduit à celle de l'esprit, ont élaboré
six techniques de nettoyage de l'intérieur du corps, appelées Shad Kriyas.
Ces pratiques simples aident l'organisme à se débarrasser des impuretés et, par
conséquent, contribuent à soulager bon nombre de maux physiques et mentaux.

LE NETTOYAGE DU NEZ – NETI

Neti nettoie les narines, les cavités nasales et les sinus.
Rendue quotidienne, cette pratique hygiénique combat
les effets de la pollution, de
la poussière et du pollen.
Elle est particulièrement
bénéfique pour ceux
qui souffrent d'asthme,
d'allergies et d'autres
affections respiratoires.

*Solution composée de
1/2 cuillerée à café
de sel marin et de
1 tasse d'eau tiède*

*BURETTE
EN CÉRAMIQUE*

*BURETTE
EN CUIVRE*

LA PRATIQUE DE NETI
*La tête penchée sur la gauche, retenez votre souffle
et versez de l'eau dans la narine droite pour la faire
ressortir par la gauche. Soufflez et changez de côté.*

LE NETTOYAGE DU CÔLON – BASTI

Basti nettoie naturellement la partie
inférieure des intestins. À la différence
d'un lavement, où c'est une pression
qui fait pénétrer le liquide, l'individu,
assis dans un bac, provoque alors
un appel d'eau en contractant ses
muscles abdominaux (voir Nauli,
page ci-contre). Pour maintenir
l'anus ouvert, les yogis utilisaient
traditionnellement un morceau
de bambou, que l'on peut remplacer
par un tube de plastique de 1 cm
de diamètre. Cette toilette fortifie
également les muscles abdominaux
et peut être pratiquée régulièrement.

LE NETTOYAGE DE L'ESTOMAC – DHAUTI

Dhauti nettoie l'œsophage et l'estomac en éliminant l'excès
de mucus et les restes d'aliments. Pour pratiquer cette toilette,
utilisez une bande de gaze de 5 m × 5 cm, imbibée d'une
solution d'eau salée (comme pour Neti). Contentez-vous
au début d'absorber 30 cm de gaze, puis augmentez
progressivement la longueur jusqu'à avaler la bande
tout entière.

*BOL DE
SOLUTION
SALINE*

1 Glissez l'extrémité de
la bande de tissu à
l'intérieur de la bouche
et mâchez. Continuez
jusqu'à ce que vous ne
conserviez qu'un petit morceau
de gaze hors de la bouche.

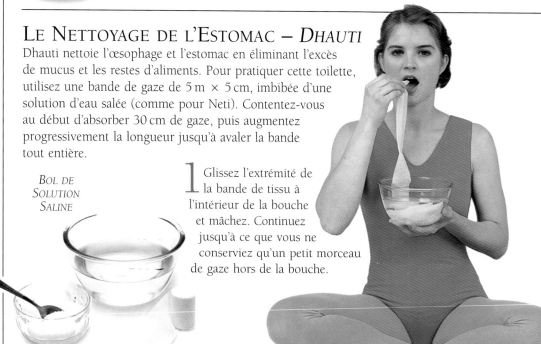

2 Gardez quelques minutes
la gaze dans l'estomac
pour réaliser un bon nettoyage
de la muqueuse stomacale,
puis retirez-la tout
doucement. Cette
toilette se pratique deux
fois par semaine, à jeun.

SEL MARIN   *BANDE DE GAZE*

LE BRASSAGE ABDOMINAL – *NAULI*

En faisant travailler les muscles abdominaux, Nauli réalise un massage revitalisant de tous les organes internes et concentre le prana dans la région du plexus solaire. Précieux pour combattre paresse ou dérèglements intestinaux, cet exercice, après un certain temps de pratique, mobilise un muscle central. Exécuté régulièrement, Nauli contribue à améliorer la posture corporelle, en même temps qu'il fortifie les muscles assurant la respiration et l'élimination des déchets organiques.

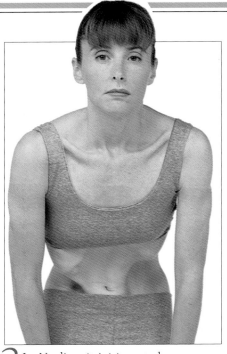

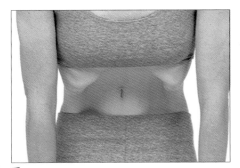

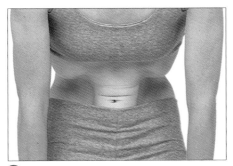

1 Debout, jambes écartées, mains sur les cuisses, penchez-vous légèrement en avant. Effectuez une respiration très profonde, puis expirez. Poumons vides, tirez le diaphragme vers le haut.

2 Toujours en apnée, contractez les deux côtés de l'abdomen pour faire saillir le muscle central.

3 Le Nauli maîtrisé à ce stade, exercez-vous au brassage abdominal : prenez appui sur chaque main alternativement, déplacez le muscle central suivant un mouvement ondulatoire régulier.

LA TOILETTE DE L'APPAREIL RESPIRATOIRE – *KAPALABHATI*

Cet exercice purifie les voies respiratoires et les poumons, contribuant à éliminer le gaz carbonique et d'autres impuretés. L'oxygénation du sang réalisée régénère les tissus, et le mouvement du diaphragme masse estomac, foie et pancréas.

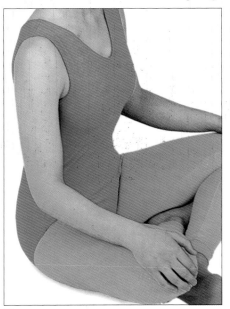

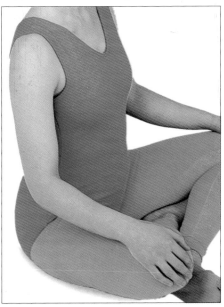

1 Contractez rapidement les muscles abdominaux : le diaphragme se soulève et expulse l'air des poumons.

2 Décontractez l'abdomen pour laisser l'air pénétrer en douceur dans les poumons. Répétez vingt à cinquante fois.

UN EXERCICE DE CONCENTRATION – *TRATAK*

Placez la flamme d'une bougie à hauteur des yeux, à une longueur de bras de distance, et fixez-la 1 à 3 minutes sans ciller. Vous allez pleurer, ce qui nettoie les canaux lacrymaux. Fermez les yeux, et fixez la flamme comme si elle se trouvait entre vos sourcils.

EXERCICE DE CONCENTRATION

LA RELAXATION

*Il est difficile de régénérer le corps et l'esprit
tant ceux-ci sont en permanence sollicités
par la vie trépidante que nous menons.
Aussi est-il impératif de consacrer un peu
de temps quotidiennement à leur régénération
si l'on veut jouir de la santé et du bien-être.*

RELAXATION OU TENSION ?

La relaxation est un réel bienfait pour l'organisme. Le corps et l'esprit peuvent se relaxer lorsqu'ils utilisent peu ou pas d'énergie. Dans la mesure où chaque action, consciente ou inconsciente, consomme l'énergie emmagasinée, la relaxation vient apporter la santé et la paix nécessaires à l'esprit. Sans son secours, surmenage et dysfonctionnements organiques divers guettent l'individu.

ACTION ET DÉPENSE D'ÉNERGIE

Pour comprendre le principe de la relaxation, il est très utile d'en examiner son contraire. Toute action génère des tensions qui, lorsqu'elles deviennent excessives, peuvent altérer la santé du corps et de l'esprit. La mise en œuvre d'une action se traduit en plusieurs phases : dans un premier temps, le moindre geste débute sous forme d'une impulsion nerveuse déclenchée dans le cortex cérébral. Le cerveau l'analyse et décide en quelque sorte de la réponse à lui donner ; il envoie un signal aux muscles concernés, ainsi que l'énergie nécessaire à l'exécution de l'ordre : sous leur effet, les muscles se contractent et réagissent alors par l'action. Généralement, la multiplication des stimuli entraîne une dépense d'énergie assez considérable dont l'individu n'a le plus souvent pas conscience ; la relaxation a pour effet de réduire le nombre de stimuli auxquels il doit répondre.

LES CONDITIONS DE TRAVAIL
La vie moderne impose au corps et à l'esprit une tension permanente, laquelle entraîne une grande perte d'énergie qui se traduit souvent par des symptômes liés au stress.

LES LOISIRS
Le cinéma et la télévision, ainsi que certains sports, proposent des spectacles de violence que beaucoup assimilent à des activités de détente ou de loisirs, mais qui, au contraire, ont pour effet de stimuler à outrance l'émotivité.

LA VIE SOCIALE ▷
L'alcool et les drogues ne doivent pas être considérés comme des distractions, car ils n'apportent aucune relaxation et laissent l'individu plus tendu encore.

LA RELAXATION PHYSIQUE

Certaines formes d'activité physique augmentent l'énergie corporelle, mais cela ne sert à rien si cette énergie est gaspillée en maintenant les muscles dans un état de tension superflu ou inutile. Chez certains individus, cette contraction est si intense qu'ils sont incapables de se détendre pendant la nuit, ce qui donne lieu à une constante déperdition énergétique.

Les asanas permettent de réapprendre aux muscles à se détendre. En effet, les pratiquants se découvrent souvent plus reposés tout en dormant moins, et cela en raison du fait qu'ils trouvent très rapidement un sommeil profond et réparateur. Le sommeil profond régénère le corps et l'esprit, tandis que le sommeil léger, celui du rêve, consomme de l'énergie.

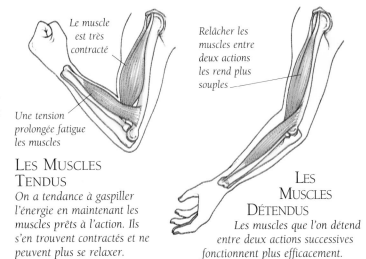

Le muscle est très contracté

Relâcher les muscles entre deux actions les rend plus souples

Une tension prolongée fatigue les muscles

LES MUSCLES TENDUS
On a tendance à gaspiller l'énergie en maintenant les muscles prêts à l'action. Ils s'en trouvent contractés et ne peuvent plus se relaxer.

LES MUSCLES DÉTENDUS
Les muscles que l'on détend entre deux actions successives fonctionnent plus efficacement.

TENIR LE RYTHME
À s'efforcer de soutenir le rythme trépidant qu'impose la vie moderne, l'individu épuise ses ressources en énergie – le corps et l'esprit se voyant supprimer toute possibilité de véritable détente.

LA RELAXATION MENTALE

La multiplication des stimuli conduit au surmenage et à l'épuisement. Qu'on en ait ou non conscience, le fait de réfléchir et de s'inquiéter sollicite d'énormes quantités d'énergie. En effet, la tension à laquelle les soucis – réels ou imaginaires – soumettent l'esprit est plus grande consommatrice d'énergie que le travail manuel. Au bout d'un certain temps, la fatigue mentale s'installe, et l'organisme s'en ressent également. C'est la raison pour laquelle il est important de consacrer chaque jour un peu de temps à se détendre et à soulager son mental.

Aussi, lorsque vous sentez la tension monter en vous, accordez-vous quelques minutes de respiration lente et régulière, durant lesquelles vous vous attachez exclusivement à votre souffle. Ces exercices de respiration développent votre aptitude à ramener le calme dans votre esprit par le seul pouvoir de votre mental.

LE TRAVAIL
L'individu est plus efficace s'il se relaxe dans la journée. Cette relaxation s'accompagne dans un premier temps d'un effort conscient, qui se transformera en habitude. Asanas, pranayama et méditation permettent détente intellectuelle et concentration.

LA RELAXATION SPIRITUELLE

L'individu ne parvient à une complète relaxation que s'il se trouve en harmonie avec une source plus élevée et plus subtile que celle du corps, de l'esprit et des sens. Tant que l'on s'identifie à son seul corps et à son seul esprit terrestres, on croit ne pouvoir compter que sur soi, d'où tensions et inquiétudes. Le fait de se détacher de la perception sensorielle et de la pensée rationnelle et de se concentrer sur des domaines plus élevés permet de se mettre en harmonie avec le divin et de réaliser que toute joie vient de l'intérieur. Le yoga propose des techniques pour y parvenir.

LA MÉDITATION
L'esprit est inconstant et fluctue selon l'humeur, d'où sa tendance à dépenser beaucoup d'énergie. La méditation permet de parvenir au silence et à la paix intérieurs. Elle relaxe en profondeur à la fois le corps et l'esprit, ce qui a pour effet d'éliminer le stress.

LA RÉALISATION DE SOI
La méditation permet d'accéder à l'état de réalisation de soi, dans lequel des émotions telles que jalousie, colère, peur et haine n'ont plus de place.

119

LES TECHNIQUES DE RELAXATION

Souvent réduite, à tort, à un seul état physique, la relaxation concerne également le corps astral et s'enracine même plus profondément dans le corps causal. C'est pourquoi il est parfois vain d'espérer des médicaments une véritable détente. Les techniques de relaxation du yoga, quant à elles, prennent en compte à la fois le physique et le mental.

LES POSTURES DE RELAXATION

Les asanas utilisent la concentration pour réapprendre aux muscles à travailler dans la décontraction. On adopte également certaines postures avant, entre et après les asanas, de façon à assurer une bonne circulation du prana (l'énergie vitale) dans l'organisme.

LA POSTURE DE L'ENFANT ▷

Asseyez-vous sur les talons, genoux et pieds joints, front au sol. Laissez reposer les mains à côté des pieds, paumes tournées vers le plafond. Détendez-vous en « pesant » sur le sol et en respirant calmement.

◁ LA POSTURE DU CADAVRE

Allongez-vous sur le dos, pieds écartés de 50 cm. Écartez les bras à 45° du corps. Le maintien de cette position ne doit réclamer aucune dépense d'énergie. Concentrez-vous sur la respiration : sentez votre ventre se soulever et se creuser à son rythme.

LA RELAXATION SUR LE VENTRE ▷

Allongez-vous sur le ventre, la tête tournée d'un côté et posée sur les mains. Fermez les yeux et respirez profondément, comme dans la posture du Cadavre, en sentant le ventre peser sur le sol à l'inspiration et se soulever à l'expiration.

LA RELAXATION PAR LA RESPIRATION

Le yoga utilise la respiration pour renforcer le contrôle qu'exerce l'esprit sur le corps. Passez ce dernier en revue plusieurs fois par jour afin de décontracter consciemment toute partie tendue. Utilisez l'autosuggestion pour expulser les tensions : à chaque inspiration, par exemple, imaginez que vous êtes en train d'extraire le prana de l'air et de le distribuer dans toutes les parties du corps ; au cours de chaque expiration, sentez la tension se dissiper. Le cerveau est le premier organe à souffrir d'une respiration incomplète, source de stress. Aussi, lorsque vous êtes tendu, n'oubliez jamais d'effectuer quelques profondes respirations, afin de vous relaxer totalement.

LA RESPIRATION COMPLÈTE

La respiration complète (voir p. 112) utilise tout le volume pulmonaire, fournissant alors à l'organisme de l'oxygène en abondance. Les cellules, les tissus et les organes fonctionnent ainsi au mieux et ne présentent pas les dysfonctionnements que l'on connaît par défaut d'oxygénation.

UNE ALIMENTATION ANTISTRESS

Le moment des repas, la façon et la nature de ce que l'on mange ont des effets sur l'état général, physique et mental. Mangez lentement et posément. Ne surchargez pas votre organisme. Consommez des aliments sains et nutritifs, en accord éventuellement avec les principes formulés dans le chapitre « Un régime sain » (voir pp. 124-151). Vous serez d'autant moins tendu que vous adopterez un régime riche en fibres, en fruits et en légumes frais, qui satisfera vos goûts et vos besoins énergétiques. Mangez à heures régulières, ne grignotez pas avant les repas ni au moment de vous coucher.

À condition d'être complète, l'alimentation végétarienne apporte tous les éléments nécessaires à la santé du corps et de l'esprit

MANGER AVEC MODÉRATION

La suralimentation est responsable de nombreux troubles circulatoires et digestifs, notamment, et il n'est peut-être pas entièrement faux d'affirmer, selon le dicton, qu'« on creuse sa tombe avec ses dents ». L'idéal consiste à emplir son estomac à demi de solide pour un quart de liquide et à laisser vide le dernier quart afin de ne pas gêner la digestion. Pour le yogi, le secret de la santé et du bien-être réside dans le fait d'avoir toujours un peu faim.

LE SOMMEIL RÉPARATEUR

Vous pouvez dormir 12 heures par nuit et vous réveiller épuisé, faute d'avoir pu atteindre aisément la phase réparatrice du sommeil profond. Si vous vous endormez difficilement ou si vous avez du mal à connaître des nuits reposantes, efforcez-vous de relaxer totalement le corps et l'esprit par l'autosuggestion. Allongé sur votre lit, franchissez les unes après les autres les étapes conduisant à la Relaxation Finale (voir pp. 104-105).

LE SOMMEIL LÉGER
Le sommeil léger, celui du rêve, consomme de l'énergie ; il n'est pas suffisamment réparateur.

LE SOMMEIL PROFOND
Le sommeil profond est la phase de grand repos, dans laquelle le corps et l'esprit se régénèrent.

L'ATTITUDE MENTALE

Il est très important de savoir que les tensions sont souvent générées non pas par des phénomènes extérieurs, mais, par la réaction mentale et émotionnelle de l'individu à ces mêmes phénomènes. Pranayama, asanas et méditation vous aideront à contrôler votre esprit et à le maintenir aussi paisible que possible. La réflexion positive (voir pp. 154-155) vous amène à prendre du recul par rapport à une situation : vous pouvez ainsi la maîtriser au lieu de vous laisser submerger par vos émotions.

En observant une attitude mentale adéquate, vous réussirez à faire face à des problèmes potentiellement très angoissants, voire à en tirer des leçons particulièrement édifiantes, qui ne manqueront pas de vous servir.

LES VERTUS DU SILENCE

Communiquer – parler, écouter et entretenir des relations avec autrui – est une activité qui exige beaucoup d'énergie. Nombreux sont ceux qui, même seuls, allument systématiquement leur téléviseur. Cela a généralement pour effet de stimuler les sens plutôt que de les reposer. Or, il n'est parfois pas de meilleur remède que le silence pour apaiser un système nerveux agressé par les turbulences de la vie moderne.

DES PLAGES DE CALME
Il est important pour le bien-être du corps et de l'esprit de se réserver chaque jour quelques instants de calme et de repos. Asseyez-vous dans un endroit tranquille pour rêver, lire, écouter de la musique ou vous consacrer à une activité créatrice mais relaxante.

UN RÉGIME VÉGÉTARIEN

*Pour le yogi, le corps est le temple de l'âme.
Chacun a donc la responsabilité de le garder
en bonne santé. Aussi ne doit-on nourrir
son corps et son esprit que d'aliments sains,
naturels, complets et nutritifs.*

LES BESOINS ALIMENTAIRES

La nourriture fournit à notre corps les matériaux nécessaires à son fonctionnement et à son entretien – énergie et nutriments. Les aliments qui composent un régime végétarien naturel apportent les éléments indispensables. En outre, dans la mesure où ils contiennent peu d'additifs, leur rendement énergétique est maximal.

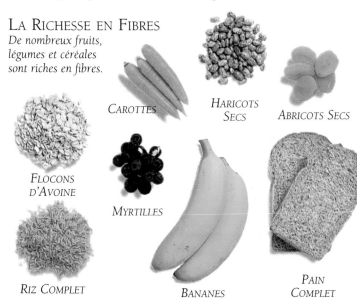

DE L'ÉNERGIE POUR VIVRE

Notre corps doit être alimenté en énergie à intervalles très réguliers. Pour ce faire, l'appareil digestif se charge d'absorber les éléments nutritifs de nos aliments. Les aliments peuvent dès lors être assimilés par l'organisme et produire l'énergie nécessaire à son bon fonctionnement.

LE SOLEIL
L'énergie vient essentiellement du soleil. Plus notre source alimentaire est proche de cette origine, plus son rendement énergétique est élevé. L'homme ne peut toutefois extraire directement de la lumière que le prana et la vitamine D.

LES VÉGÉTAUX
Les végétaux convertissent l'énergie solaire en matière par le processus de photosynthèse. Les céréales, telles que le maïs, peuvent stocker de l'énergie sous une forme directement assimilable par l'organisme.

LES HERBIVORES
Incapables d'utiliser directement l'énergie solaire, certains animaux l'obtiennent par l'intermédiaire des plantes. Ainsi, les herbivores (de même que l'homme) ont un organisme adapté à l'assimilation de la matière végétale, qu'ils transforment en énergie.

LES CARNIVORES
Les carnivores obtiennent leur énergie à l'issue de deux stades de transformation alimentaire. Compte tenu qu'il y a déperdition d'énergie à chaque degré de la pyramide alimentaire, ils tirent proportionnellement moins d'énergie que les herbivores.

UNE BONNE ALIMENTATION
Les aliments doivent apporter à l'organisme tous les éléments indispensables à son fonctionnement, tels que fibres, hydrates de carbone, protéines et vitamines.

LES FIBRES

Bien qu'elles ne soient pas digérées par l'organisme, les fibres alimentaires sont cependant indispensables dans la mesure où elles facilitent le transit intestinal et absorbent les substances nocives. La viande ne contient pas de fibres alimentaires, non plus que les aliments raffinés. Or, une alimentation dépourvue en fibres peut générer des troubles digestifs.

LA RICHESSE EN FIBRES
De nombreux fruits, légumes et céréales sont riches en fibres.

CAROTTES

HARICOTS SECS

ABRICOTS SECS

FLOCONS D'AVOINE

MYRTILLES

RIZ COMPLET

BANANES

PAIN COMPLET

LES PROTÉINES

Ces composés azotés sont nécessaires à la constitution du tissu vivant et à la régénération des cellules. La décomposition des protéines produit des déchets azotés qui doivent être éliminés par l'organisme. Certains aliments carnés particulièrement riches en protéines, comme les abats, imposent aux reins un surcroît de travail, ce qui peut se traduire, avec l'âge, par des troubles rénaux.

FROMAGE

GRAINES DE TOURNESOL

ORGE PERLÉ

FRUITS SECS

GRAINES DE POTIRON

HARICOTS ROUGES

QUELQUES DONNÉES

Les protéines sont formées de longues chaînes d'acides aminés, dont on dénombre une vingtaine de types dans notre nourriture. Pour que celle-ci fournisse à l'organisme une ration équilibrée de ces acides aminés, il faut qu'elle comporte un assortiment varié d'aliments riches en protéines.

LES GRAISSES

Indispensables à l'organisme, les graisses, combinaisons de glycérol et d'acides gras, constituent des réserves d'énergie. Absorbées en petites quantités, elles stockent les vitamines liposolubles, A, D, E et K. Les acides gras interviennent dans la constitution de nos tissus graisseux et la production de myéline.

FIBRE NERVEUSE GAINÉE DE MYÉLINE

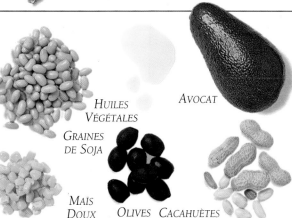

HUILES VÉGÉTALES

AVOCAT

GRAINES DE SOJA

MAÏS DOUX

OLIVES

CACAHUÈTES

QUELQUES DONNÉES

Les graisses contiennent des acides gras, saturés ou insaturés. Un régime riche en acides gras saturés (surtout dans les graisses animales) favorise les maladies cardio-vasculaires. Les acides gras insaturés (surtout dans les huiles végétales) ont plutôt un rôle protecteur.

LES HYDRATES DE CARBONE

Les molécules de sucres simples (saccharides) forment les liaisons qui constituent les grosses molécules d'hydrates de carbone (polysaccharides). Dans notre alimentation, les plus importants sont l'amidon, que l'organisme assimile en le dégradant, et les fibres (légumes, fruits, céréales), qui sont constituées de polysaccharides non digestibles. Le glucose est un sucre simple d'une grande valeur énergétique.

RIZ ARBORIO

POMMES DE TERRE

PAIN COMPLET

PÂTES

POIS CHICHES

QUELQUES DONNÉES

L'appareil digestif transforme en sucre nombre d'hydrates de carbone. Les composés non raffinés (à gauche) sont une bien meilleure source de nutriments et d'énergie. Les sucres simples, qui sont vite métabolisables, apportent trop vite des calories.

VITAMINES ET SELS MINÉRAUX

Ces substances organiques (les vitamines) et ces solides inorganiques (les sels minéraux) sont indispensables à la vie humaine. Les végétaux contiennent aussi bien des vitamines que des sels minéraux, de sorte qu'un régime végétarien équilibré peut réaliser un apport suffisant de ces éléments.

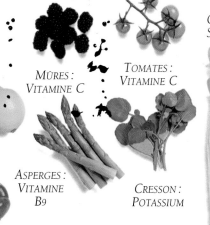

CÉLERI : SODIUM

MÛRES : VITAMINE C

TOMATES : VITAMINE C

CITRONS : VITAMINE C

ASPERGES : VITAMINE B9

CRESSON : POTASSIUM

JUS DE CAROTTE : VITAMINE A

POIVRON ROUGE : FER

QUELQUES DONNÉES

Les fruits et légumes peuvent procurer toutes les vitamines ainsi que tous les sels minéraux nécessaires à l'organisme, cependant il est préférable de les consommer crus ou très peu cuits – une grande partie des vitamines et des sels minéraux étant éliminés par la cuisson.

POURQUOI ÊTRE VÉGÉTARIEN ?

Le yogi considère son corps comme le temple de l'âme, de sorte qu'il lui témoigne beaucoup d'attention et de respect. Il s'efforce de comprendre les principes inhérents à toute forme de vie et à saisir leur unité essentielle. Ainsi, le choix d'une nourriture végétarienne, qui procure de l'énergie tout en conservant au corps et à l'esprit leur pureté, s'inscrit dans cette démarche.

PRENDRE SOIN DE SA SANTÉ

L'alimentation végétarienne peut se révéler excellente pour l'appareil digestif. Les végétariens ont généralement un faible taux de cholestérol et peu connaissent de problèmes cardio-vasculaires. On dénombre chez eux moins de problèmes d'arthrites, d'obésité, de diabète, de constipation, de calculs de la vésicule, d'hypertension, d'intoxications alimentaires, etc.

LÉGENDES
- VIANDE
- POISSON
- LÉGUMINEUSES
- LÉGUMES ET FRUITS

LA COMPOSITION DES ALIMENTS

Sur ce tableau, des carrés de couleur indiquent pour chaque aliment sa teneur en graisses, en fibres et en cholestérol, suivant un classement de 1 à 4. On s'aperçoit que, contrairement aux aliments carnés, les aliments végétariens sont pauvres en graisses et en cholestérol, et riches en fibres.

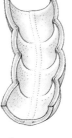

INTESTIN HUMAIN **INTESTIN DE CARNIVORE**

◁ L'APPAREIL DIGESTIF

L'appareil digestif des carnivores diffère de celui de l'homme. Chez l'homme, l'intestin grêle mesure 5,50 à 7 m, soit plusieurs fois la longueur de celui d'un carnivore. La paroi intestinale est lisse et rectiligne chez les carnivores, tandis qu'elle forme chez l'homme des flexuosités qui contribuent à augmenter la surface d'absorption.

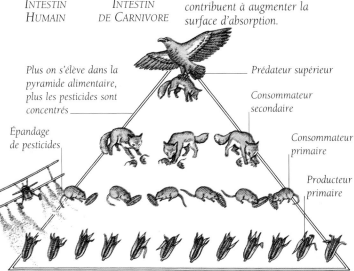

Plus on s'élève dans la pyramide alimentaire, plus les pesticides sont concentrés

Prédateur supérieur

Consommateur secondaire

Épandage de pesticides

Consommateur primaire

Producteur primaire

UNE PYRAMIDE DE POLLUTION

LA PYRAMIDE DE LA POLLUTION

Les nombreux produits chimiques, pesticides et antibiotiques vaporisés sur les récoltes sont absorbés par les animaux. Plus on s'élève dans la chaîne alimentaire, plus ces produits sont concentrés ; c'est ce que l'on appelle la bio-amplification.

ALIMENTS	GRAISSES	FIBRES	CHOLESTÉROL
Jambon	■■■	■	■■■■
Côtelette d'Agneau	■■■	■	■■■■
Salami	■■■	■	■■■
Saucisson	■■■	■	■■■
Poulet	■■	■	■■■
Bœuf Maigre	■■	■	■■■
Steak Haché	■■	■	■■■
Veau	■■	■	■■■
Anchois	■■	■	■■■■
Maquereau	■■	■	■■■■
Sardine	■■	■	■■■
Hareng	■■	■	■■
Avocat	■■	■■■	■
Thon	■	■	■■■
Saumon	■■	■	■■■
Soja	■■	■■	
Tofu	■■	■■	
Crevettes	■	■	■■■■
Laitue	■	■	■
Asperges	■	■■	■
Champignons	■	■■	■
Haricots Verts	■	■■	■
Germes de Haricots	■	■■	■
Banane	■	■■	■
Céleri	■	■■	■
Pommes de Terre	■	■■	■
Chou	■	■■	■
Fèves	■	■■■	■
Lentilles	■	■■■	■
Haricots Beurre	■	■■■	■
Haricots Blancs	■	■■■	■
Abricots Secs	■	■■■	■

ÉTHIQUE ET ÉCOLOGIE

Le végétarisme se fonde sur de nombreuses justifications d'ordre éthique pour qui pratique le yoga. Le principe de non-violence, ou Ahimsa, est l'une des plus importantes. En tant que premier Yama du Raja Yoga (voir p. 7), l'interdiction de faire du mal aux êtres vivants s'applique en toutes occasions. D'ailleurs, le principe de non-violence s'étend à la nature, que l'on se doit de protéger pour assurer l'existence des générations futures.

LE RESPECT DES ANIMAUX
Le principe de non-violence des yogis leur impose de respecter les animaux. Leur alimentation est donc strictement végétarienne.

LE RESPECT DE LA NATURE
Une superficie de forêt vierge supérieure à celle de la moitié de la France est défrichée chaque année, ruinant ainsi une source d'oxygène.

UNE EXPLICATION ÉCONOMIQUE

La production de viande est un processus onéreux. Le fait de convertir en viande les légumineuses et les céréales servant de fourrage entraîne une déperdition égale à 90% de leurs protéines, à 96% de leur valeur énergétique, et à l'intégralité de leurs fibres et de leurs hydrates de carbone.

DES GOÛTS ÉCONOMIQUES
Élément qui satisfera ceux qui n'aiment pas le goût de la viande : pour le prix de deux côtes d'agneau, on peut confectionner (pour 1 personne) un repas végétarien complet et très équilibré comprenant une soupe, une salade, un plat et un dessert.

DES EXPLICATIONS POLITIQUES

La planète compte quelque 800 millions de sous-alimentés. Le choix d'un régime végétarien peut également se fonder sur des raisons politiques, que chacun reste libre de partager ou non. Dans les pays pauvres, on cultive la terre pour nourrir un bétail qui sera vendu aux pays riches, tandis que, dans le même temps, pour compenser une alimentation trop riche, ces pays développés dépensent des sommes importantes en produits amincissants. La superficie de notre planète n'est pas extensible, et il semble déraisonnable de produire tant de viande, alors que privilégier la culture de céréales et de légumineuses permettrait de nourrir beaucoup plus de personnes.

BŒUF : 1 PERSONNE ▷
Il faut 5 ha, soit deux terrains de football et demi, pour nourrir chaque mangeur de viande.

1 PERSONNE !   *BŒUF*

MAÏS : 5 PERSONNES ▷
À condition de remplacer dans la consommation la viande par du maïs, 5 ha de terres pourraient nourrir 5 personnes.

LE MAÏS NOURRIT 5 PERSONNES   *MAÏS*

BLÉ : 12 PERSONNES ▷
5 ha de terres ensemencés en blé peuvent nourrir 12 personnes.

LE BLÉ NOURRIT 12 PERSONNES   *BLÉ*

SOJA : 30 PERSONNES ▽
5 ha de terres ensemencés en soja peuvent nourrir 30 personnes.

UNE RÉCOLTE DE SOJA NOURRIT 30 PERSONNES

SOJA

LE RÉGIME DU YOGI

Le yoga participe d'une volonté de cultiver la pureté de notre nature intime, et l'alimentation joue un rôle important dans ce processus. Les textes fondateurs du yoga distinguent trois catégories d'aliments : les sattviques, ou purs, les rajasiques, ou stimulants, et les tamasiques, ou néfastes et impurs. Le régime du yogi fait largement appel aux aliments sattviques.

L'HYPERACTIVITÉ – *RAJAS*

Le régime du yogi écarte tous les aliments rajasiques, considérés comme trop stimulants : oignon, ail, café, thé, etc., ainsi que les plats très épicés ou salés, et les mets tout préparés en conserve. Le sucre blanc, les boissons sucrées, le chocolat entrent également dans la catégorie des rajasiques. Ceux-ci sont présentés comme éveillant les passions animales, à l'origine d'un état permanent d'agitation mentale et physique, et néfastes à l'équilibre.

LES ALIMENTS RAJASIQUES •

«Par nature, le tempérament rajasique préfère une nourriture acide, amère, ardente, âcre et brûlante, des aliments qui entraînent douleurs, chagrins et maladies.»
Bhagavad Gita, *17-9*

LE COMPORTEMENT RAJASIQUE

Les aliments rajasiques sont présentés comme des excitants du corps et de l'esprit : ils provoqueraient tensions physique et mentale, favoriseraient troubles circulatoires et nerveux.

L'INERTIE – *TAMAS*

Le yogi évite les substances tamasiques, qui provoqueraient lourdeurs et léthargie. Sont dits tamasiques la viande, le poisson, les œufs, l'alcool, ainsi que les aliments trop cuits ou en conserve. Les aliments fermentés, plusieurs fois réchauffés, frits, contenant des conservateurs ou poussant dans l'obscurité (champignons) entrent également dans cette catégorie.

LE COMPORTEMENT TAMASIQUE

Une alimentation tamasique ne serait bonne ni pour le corps ni pour l'esprit. Elle rendrait l'individu maussade et paresseux, sans idéal ni motivation, sujet aux affections chroniques et à la dépression. La suralimentation est présentée comme tamasique.

LES ALIMENTS TAMASIQUES •

« Le tempérament tamasique préfère la nourriture viciée, insipide, putride, corrompue et les restes impurs. »
Bhagavad Gita, *17-10*

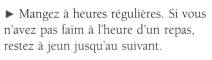

LES RÈGLES ALIMENTAIRES DU YOGI

« La pureté de l'esprit dépend de la pureté de la nourriture. » Swami Sivananda

▶ Mangez à heures régulières. Si vous n'avez pas faim à l'heure d'un repas, restez à jeun jusqu'au suivant.

▶ Mangez lentement, en savourant la nourriture. Mâchez avec application.

▶ Ne consommez que quatre ou cinq aliments différents par jour.

▶ Ne surchargez pas votre appareil digestif. Le contenu de l'estomac doit se composer d'une moitié de solide et d'un quart de liquide.

▶ Mangez dans une ambiance paisible, voire en silence.

▶ Le changement de régime alimentaire doit être progressif.

▶ Avant de manger, pensez à votre nourriture et à tous ses bienfaits.

▶ Efforcez-vous de jeûner une fois par semaine.

▶ Consommez au moins une fois par jour de la salade verte.

▶ N'oubliez pas qu'« il faut manger pour vivre, et non pas vivre pour manger ».

LA PURETÉ – *SATTVA*

En revanche, les aliments sattviques sont considérés comme bénéfiques pour apaiser l'esprit et affiner l'intellect. Naturels, complets et savoureux, ils ne contiennent ni conservateurs ni colorants. Seraient ainsi sattviques les fruits frais et secs, les purs jus de fruits, les légumes crus ou très peu cuits, les céréales, les légumineuses, les graines, le pain complet, le miel, les herbes fraîches, les tisanes et les produits laitiers, tels que lait et beurre. L'alimentation sattvique est présentée comme digeste et énergétique, développant la vitalité, la force et l'endurance. Elle contribuerait à dissiper la fatigue, même chez les individus soumis à des tâches vraiment pénibles. Pour le yogi, les préférences alimentaires de l'individu reflètent son niveau de pureté mentale ; mais elles peuvent changer au fil du développement de sa personnalité.

LES ALIMENTS SATTVIQUES
« Le tempérament sattvique affectionne les aliments qui développent la vitalité, la pureté, la force, la santé, la joie et la gaieté, tout ceux qui sont savoureux et oléagineux, substantiels et agréables. » Bhagavad Gita, 17-8

LE COMPORTEMENT SATTVIQUE
L'alimentation sattvique apporterait calme et pureté de l'esprit, apaiserait et nourrirait le corps. Elle favoriserait gaieté et sérénité, et contribuerait à assurer tout au long de la journée l'équilibre mental et nerveux.

LES SOUPES

Faciles et rapides à réaliser, les soupes sont nutritives et roboratives. Savoureuses, elles se confectionnent à partir d'ingrédients simples et naturels. On peut y introduire de très nombreux légumes. Ce seront, en hiver, des légumes tels que navets, panais et chou-rave, éventuellement additionnés de céréales ou de légumineuses. Les potages estivaux se prépareront avec cresson, tomates, courgettes ou laitue, et se rehausseront d'herbes aromatiques.

POTAGE CRESSONNIÈRE

Un délicieux potage, à servir froid ou chaud selon la saison.

INGRÉDIENTS
3 pommes de terre moyennes
125 cl d'eau
25 cl de lait ou de crème (facultatif)
1/2 botte de cresson
noix muscade râpée
sel et poivre

Pelez les pommes de terre, coupez-les en dés et placez-les dans une grande casserole. Couvrez d'eau froide, portez à ébullition et laissez frémir à couvert 8 à 10 minutes, jusqu'à ce que les pommes de terre soient tendres. Égouttez, en réservant l'eau de cuisson. Réduisez dans un saladier les pommes de terre en purée, en ajoutant éventuellement lait ou crème. Détaillez grossièrement le cresson soigneusement lavé. Versez la purée dans la casserole, ainsi que l'eau de cuisson, ajoutez cresson et noix muscade. Portez à ébullition et laissez frémir 10 minutes. Salez et poivrez selon goût. Si la soupe est trop épaisse, rajoutez du lait. Ce potage se sert chaud ou froid. Dans ce dernier cas, vous le mettrez au réfrigérateur jusqu'au moment de servir. *Pour 4 personnes.*

POTAGE CRESSONNIÈRE

CRÈME DE MAÏS DOUX

Une soupe crémeuse qui peut constituer un repas, accompagnée de pain complet et d'une salade.

INGRÉDIENTS
4 épis de maïs frais
1/4 chou blanc émincé
3 pommes de terre moyennes détaillées en dés
80 à 100 cl d'eau froide
17,5 cl de lait de soja
sel et poivre

Effeuillez et égrenez les épis de maïs. Placez les grains dans une casserole, ainsi que chou et pommes de terre. Couvrez d'eau. Portez à ébullition et laissez frémir à couvert 8 à 10 minutes, jusqu'à ce que les pommes de terre soient tendres. Mixez, ajoutez le lait de soja, salez et poivrez. Réchauffez sans laisser bouillir. *Pour 4 personnes.*

SOUPE DE LÉGUMES

Une soupe facile à préparer pour un grand nombre de convives. Il suffit de multiplier les quantités d'ingrédients par le nombre d'assiettes.

INGRÉDIENTS (PAR PERSONNE)
1/2 cuillerée à soupe d'huile
200 g d'un mélange de légumes de saison détaillés en dés
20 cl d'eau
50 g d'épinards débités grossièrement
sel

Dans une casserole, faites revenir les légumes dans un peu d'huile. Ajoutez l'eau et portez à ébullition. Laissez frémir à couvert pendant 20 minutes. Incorporez les épinards et prolongez la cuisson de 5 minutes. Salez et servez.

SOUPE AU MISO

*La saveur de cette soupe varie en fonction du miso utilisé :
le miso léger est suave et odorant ; le miso brun-
rouge est aromatique et piquant ; le miso foncé est
salé et fort. Dans tous les cas, choisissez un
miso d'excellente qualité.*

INGRÉDIENTS

*2 cuillerées à café d'huile végétale
2 cuillerées à café de gingembre râpé
700 g de légumes émincés ou détaillés en dés
(chou vert et/ou rouge, carottes, céleri,
pommes de terre, chou-rave, panais, navets)
1 cuillerée à soupe d'algues wakamé séchées
100 cl d'eau ou de bouillon de légumes
4 cuillerées à soupe de miso
2 cuillerées à soupe de persil finement haché*

Chauffez l'huile dans un wok ou dans une
grande poêle. Mettez-y gingembre et légumes, et
faites revenir 5 minutes. Entre-temps, faites tremper
le wakamé 4 à 6 minutes dans de l'eau et hachez-le
grossièrement. Ajoutez aux légumes l'eau ou le bouillon,
et le wakamé, portez à ébullition, puis réduisez le feu et
laissez frémir 15 minutes, jusqu'à ce que les légumes
soient tendres. Allongez le miso avec environ 8 cuillerées
à soupe de bouillon ; incorporez-le à la préparation et
retirez du feu. Servez aussitôt, saupoudré de persil haché.
La soupe au miso ne se réchauffe pas.
Pour 4 à 6 personnes.

COMMENT PRÉPARER UNE SOUPE

▶ La méthode de base consiste à faire d'abord revenir dans
un peu de beurre ou d'huile des légumes finement émincés,
afin d'exalter toute leur saveur. Dès que les légumes sont
attendris, on ajoute le liquide, les herbes et les aromates,
le sel et le poivre. On porte à ébullition, puis on réduit
le feu et on laisse frémir environ 25 minutes.

▶ Une méthode plus simple consiste à verser directement
sur les légumes crus émincés le liquide et l'assaisonnement.
On porte à ébullition, puis on réduit le feu et on maintient
un léger frémissement pendant environ 25 minutes.

▶ La soupe sera plus consistante si l'on y incorpore des
légumes secs, que l'on aura fait préalablement tremper.
Le temps de cuisson peut être alors de 1 heure.

▶ On peut également ajouter du miso, lequel est à la fois
savoureux et nutritif. Cette pâte de soja fermentée constitue
en effet une excellente source de protéines. Au Japon,
le miso est utilisé contre le rhume et pour éclaircir le teint.
Ce condiment ne doit jamais bouillir ou être recuit.

SOUPE À LA TOMATE

SOUPE AU MISO

POTAGE À LA TOMATE

*Un potage simple, à préparer de préférence avec
des tomates fraîches et à agrémenter d'herbes de Provence.*

INGRÉDIENTS

*2 cuillerées à soupe d'huile
1 poivron vert finement émincé
2 branches de céleri finement hachées
1 carotte râpée
1 cuillerée à café d'origan séché
1 1/2 cuillerée à café de basilic séché
1 kg de tomates épluchées
poivre noir et sel
60 cl d'eau ou de bouillon de légumes*

Dans une grande casserole, faites revenir les légumes
dans un peu d'huile, à feu moyen, pendant 5 minutes.
Incorporez les herbes et prolongez la cuisson pendant
2 minutes. Ajoutez tomates, sel et poivre, et portez à
ébullition. Versez l'eau ou le bouillon, faites reprendre
l'ébullition, puis maintenez un léger frémissement
pendant 20 minutes. Servez aussitôt.
Pour 6 personnes.

VARIANTES : vous pouvez épaissir ce potage en incorporant
aux légumes 1 cuillerée à soupe de farine ; remuez bien
au moment où vous versez le liquide. Pour un potage
crémeux, ajoutez en fin de cuisson du lait de vache ou
de soja, délayé dans un peu de liquide. Réchauffez à feu
doux sans laisser bouillir. Le potage sera plus consistant
encore si vous y incorporez des céréales cuites.

Les Entrées

Qu'on les serve seules ou comme accompagnement du plat principal, les salades de fruits et de légumes frais doivent être présentes dans le régime alimentaire de chacun. Elles constituent d'importantes sources de vitamines, de sels minéraux et de fibres ; elles apportent à tout repas variété, gaieté et couleur. On peut les garnir de pousses, de fruits secs, de germes de blé, de graines (sésame, tournesol et carvi), voire les enrichir de levure.

Assaisonnement pour Salade

Un assaisonnement simple, préparé en quelques minutes, qui convient à toutes les salades.

Ingrédients

5 cl d'huile végétale (d'olive, par exemple)
5 cl de jus de citron
1 cuillerée à café de tamarin ou de sel
1 cuillerée à soupe d'herbes aromatiques hachées
(au choix ; facultatif)

Placez tous les ingrédients dans un shaker ou un bol muni d'un couvercle. Fermez-le et agitez énergiquement. Arrosez la salade de cette sauce. *Pour 15 cl.*

Peperonata

Une salade croquante, à la saveur prononcée, qui peut être servie comme hors-d'œuvre ou en accompagnement.

Ingrédients

10 cl d'huile d'olive
4 beaux poivrons (jaunes, rouges ou verts),
découpés en lanières de 2 cm
50 g d'olives noires, émincées
2 cuillerées à soupe de câpres (facultatif)
sel

Chauffez l'huile dans un wok ou dans une grande poêle. Ajoutez les poivrons et faites-les revenir en remuant. Quand ils sont tendres, ajoutez olives et câpres et prolongez la cuisson de 2 minutes. Salez et servez. *Pour 4 à 6 personnes.*

Sauce au Yoghourt

L'association du piquant et du suave fait de cette sauce l'assaisonnement idéal des poivrons

Ingrédients

5 cl d'huile végétale (d'olive, par exemple)
le jus de $^1/_2$ orange
5 cl de yoghourt
$1^1/_2$ cuillerée à café de tamarin

Mixez les ingrédients pour obtenir une sauce à la consistance fluide. *Pour 15 cl.*

Peperonata

Sauce au Yoghourt

Assaisonnement pour Salade

HOUMMOS

Une savoureuse purée froide, qui accompagne très bien les crudités.

INGRÉDIENTS

175 g de pois chiches
5 cl d'huile de sésame
$^1/_2$ cuillerée à café de piment en poudre
1 cuillerée à café de sel
le jus de 1 citron
1 cuillerée à soupe d'huile d'olive
$^1/_2$ cuillerée à café de paprika
$^1/_2$ cuillerée à café de cumin en poudre
1 cuillerée à café de persil haché

La veille, vous aurez fait tremper les pois chiches dans de l'eau froide. Égouttez-les et faites-les cuire 45 minutes à 1 heure, à feu moyen, dans un grand volume d'eau. Égouttez en réservant quelques cuillerées de liquide de cuisson. Dès que les pois chiches sont bien froids, mixez-les jusqu'à l'obtention d'une purée lisse. Si le mélange vous paraît sec, ajoutez un peu de liquide de cuisson. Incorporez huile de sésame, piment, sel et jus de citron, et remuez. Versez l'hoummos dans un plat de service creux, arrosez d'huile d'olive et saupoudrez de paprika, de cumin et de persil haché. Servez accompagné de pita (pain non levé) tiède, d'olives, de crudités ou de salade verte.
Pour 45 cl.

SALADE WALDORF

Variante croquante d'une recette que l'on doit au célèbre hôtel Waldorf Astoria de New York.

INGRÉDIENTS

4 pommes coupées en dés
le jus de 1 citron
50 g de noix émiettées
2 carottes finement râpées
75 g de raisins secs
2 branches de céleri finement hachées
25 cl de yoghourt, de crème aigre ou de mayonnaise
5 ou 6 belles feuilles de laitue

Mélangez à la fourchette tous les ingrédients, sauf la laitue. Placez le mélange au réfrigérateur pendant au moins 1 heure. Servez sur un lit de laitue disposé sur un plat de service.
Pour 4 personnes.

CRUDITÉS

HOUMMOS

GUACAMOLE

GUACAMOLE

Une délicieuse purée d'avocat légèrement épicée et d'origine mexicaine.

INGRÉDIENTS

1 bel avocat
le jus de 1 citron
1 $^1/_2$ cuillerée à soupe de yoghourt
$^1/_4$ cuillerée à café de graines de coriandre moulues
$^1/_4$ cuillerée à café de cumin moulu
1 pincée de poivre de Cayenne
sel
$^1/_2$ poivron vert finement haché (facultatif)

Pelez, dénoyautez et hachez grossièrement l'avocat. Mixez la chair avec le jus de citron jusqu'à obtention d'une purée à la consistance lisse. Ajoutez yoghourt, épices et sel, et mélangez soigneusement le tout. Versez le guacamole dans un ravier et incorporez délicatement la moitié du poivron haché (facultatif) en réservant le reste pour la décoration. On sert le guacamole avec des tortillas ou des petits pains, ou encore un mélange de crudités (céleri, carottes, etc.).
Pour 30 cl.

LES PLATS PRINCIPAUX

La cuisine du yogi est aussi simple, fraîche et énergétique que possible. Ces appétissantes et originales recettes sont très faciles à réaliser chez soi. En outre, chacun peut aisément les adapter selon ses goûts.

UPPAMA

Une variante du traditionnel petit déjeuner de l'Inde méridionale, que l'on accompagne ou non de yoghourt.

INGRÉDIENTS
250 g de semoule de blé (« grosse »)
10 cl d'huile
1 belle pomme de terre détaillée en dés
$1/_2$ cuillerée à café de graines de moutarde noire
$1/_2$ cuillerée à café de graines de fenouil ou de cumin
1 cuillerée à café de gingembre râpé
1 ou 2 piments verts épépinés et finement hachés (facultatif)
2 tomates grossièrement hachées
$1/_4$ poivron vert finement haché
50 g de chou finement haché
1 carotte finement hachée
100 cl d'eau
$1/_4$ cuillerée à café de sel
2 cuillerées à soupe de coriandre fraîche finement hachée
2 cuillerées à café de beurre

Faites revenir la semoule dans une poêle, à sec, pendant 3 minutes en remuant régulièrement pour l'empêcher de noircir, puis réservez-la. (La semoule dégage une légère odeur de grillé.) Dans une poêle, faites sauter les dés de pomme de terre dans de l'huile ; épongez-les sur du papier absorbant et réservez-les. Mettez dans la poêle les graines de moutarde et de fenouil. Réduisez le feu dès qu'elles commencent à crépiter et ajoutez gingembre, piment(s) et tomates. Mélangez et incorporez le reste des légumes. Laissez frémir 5 minutes. Les légumes doivent rester légèrement croquants. Ajoutez l'eau, le sel et la coriandre, et mélangez. Ensuite, versez la semoule dans la poêle, remuez énergiquement pour éviter la formation de grumeaux. Enfin, incorporez les dés de pomme de terre et le beurre, mélangez. Ajoutez éventuellement un peu d'eau, mais la préparation ne doit être ni pâteuse ni trop liquide. Retirez du feu et servez aussitôt.
Pour 4 personnes.

CHUTNEY AUX RAISINS SECS

Un condiment goûteux, facile et rapide à réaliser, qui agrémente bien un plat de légumes ou de céréales.

INGRÉDIENTS
150 g de raisins secs
2 cuillerées à soupe d'eau chaude
$1^1/_2$ cuillerée à café de gingembre râpé
$1/_4$ cuillerée à café de poivre de Cayenne
$1/_4$ cuillerée à café de sel
le jus de $1/_2$ citron

Faites tremper 15 minutes les raisins secs dans l'eau très chaude. Ensuite, passez-les au mixer avec tout les autres ingrédients, en ajoutant le jus de citron en dernier lieu, jusqu'à obtention d'une pâte grumeleuse. *Pour 15 cl.*

RAITA DE CONCOMBRE

Il existe d'innombrables variantes de cet accompagnement rafraîchissant.

INGRÉDIENTS
15 cl de yoghourt
1 cuillerée à soupe de jus de citron
$1/_2$ cuillerée à café de sel
1 pincée de poivre de Cayenne
$1/_2$ ou 1 cuillerée à café de gingembre râpé
$1/_2$ concombre râpé
1 pincée de cumin moulu
2 cuillerées à soupe de coriandre fraîche hachée

Mélangez yoghourt, jus de citron, sel, poivre de Cayenne et gingembre. Incorporez le concombre et saupoudrez de cumin et de coriandre. *Pour 50 cl.*

VARIANTES : le concombre peut être remplacé par de la pulpe de tomate finement hachée, ou par des petits dés cuits de pomme de terre ou de poivron rouge ou vert, voire par de la banane.

RIZ BYRIANI

Un plat originaire du nord de l'Inde, qui peut être servi lors d'un repas de fête comme sur la table familiale.

INGRÉDIENTS

2 cuillerées à soupe de beurre
1 poivron vert épépiné et émincé
4 clous de girofle
4 gousses de cardamome
5 cm de cannelle en bâton, en 3 morceaux
1 belle tomate finement hachée
150 g de riz basmati
2 cuillerées à café de sel
$^1/_4$ cuillerée à café de poivre (facultatif)
$^1/_2$ aubergine (petite) coupée en cubes
2 carottes coupées en dés
100 g de petits pois frais
100 g de chou-fleur détaillé en bouquets
75 cl d'eau

Dans une grande casserole, faites fondre le beurre, dans lequel vous ferez revenir le poivron pendant 2 minutes, en remuant bien. Ajoutez toutes les épices et prolongez la cuisson quelques minutes. Puis incorporez la tomate et laissez cuire 5 minutes. Ajoutez ensuite le riz, le sel et éventuellement le poivre, et mélangez bien pour enrober le riz de sauce. Enfin, versez l'eau et les légumes, remuez et portez à ébullition. Couvrez d'un couvercle parfaitement ajusté et maintenez la cuisson à feu doux pendant 20 minutes. Retirez du feu et laissez reposer 10 minutes à couvert. N'enlevez le couvercle qu'au moment de servir. *Pour 6 personnes.*

CHUTNEY À LA NOIX DE COCO

Un condiment relevé, qui accompagne merveilleusement uppama, dosas (voir p. 136) et autres mets indiens.

INGRÉDIENTS

1 cuillerée à soupe d'huile végétale
$^3/_4$ cuillerée à café de graines de moutarde noire
100 g de noix de coco fraîchement râpée
15 cl d'eau
$^1/_2$ cuillerée à café de piments séchés broyés ou de piments verts frais, épépinés et hachés
2 ou 3 cuillerées à soupe de jus de citron
$^1/_2$ cuillerée à café de sel

Chauffez l'huile dans une casserole. Ajoutez les graines de moutarde et faites-les revenir jusqu'à ce qu'elles crépitent, en veillant à ne pas les laisser brûler. Retirez la casserole du feu et réservez. Mixez noix de coco, eau et piment jusqu'à obtention d'un mélange lisse, en ajoutant de l'eau si nécessaire. Versez le mélange dans un ravier et incorporez-y graines de moutarde, jus de citron et sel. *Pour 50 cl.*

CHUTNEY AUX
RAISINS SECS

RAITA
AU CONCOMBRE

RIZ BYRIANI

CHUTNEY
À LA NOIX
DE COCO

DAL INDIEN

*Mets riche en protéines, que l'on sert avec du riz,
le dal s'impose comme le plat de résistance
dans le sous-continent indien.*

INGRÉDIENTS
*175 g de lentilles blondes ou de pois cassés
75 cl d'eau
2 cuillerées à soupe d'huile
$\frac{1}{2}$ cuillerée à café de graines de moutarde noire
1 cuillerée à café de graines de cumin
1 cuillerée à soupe de piments verts forts,
épépinés et hachés (facultatif)
4 clous de girofle
1 cuillerée à café de sel
$\frac{1}{2}$ cuillerée à café de curcuma*

Faites cuire à l'eau les lentilles blondes ou les pois cassés,
pendant 20 à 30 minutes, jusqu'à ce qu'ils s'écrasent bien
sous la fourchette. Entre-temps, faites vivement chauffer
l'huile dans une poêle, ajoutez les graines de moutarde et
faites-les revenir, sans les laisser brûler. Incorporez alors
le piment (facultatif), les graines de cumin, les clous
de girofle, le sel, le curcuma et poursuivez la cuisson
pendant quelques minutes. Mélangez cette préparation
d'épices aux lentilles (ou aux pois). Remuez et réchauffez
à feu doux. Servez aussitôt.
Pour 4 à 6 personnes.

VARIANTES : pendant la cuisson des lentilles, vous pouvez
ajouter un mélange de légumes tels que courgettes,
tomates, poivrons verts, détaillés en dés.

Vous pouvez si vous le désirez saupoudrer le plat au
dernier moment de coriandre hachée. Si, comme certains,
vous préférez une consistance plus liquide, rajoutez
un peu d'eau, remuez et réchauffez.

DOSAS

*Délicieuses crêpes à servir très chaudes, accompagnées
de chutney à la noix de coco (voir p. 135) ou garnies
de légumes au curry (voir ci-dessous).*

INGRÉDIENTS
*225 g de riz brun ou basmati
75 g d'urid dal (graines ressemblant aux lentilles,
vendues dans les magasins de produits exotiques)
quelques graines de fenugrec (facultatif)
sel, eau, huile*

La veille, vous aurez fait tremper riz, urid dal et fenugrec
(éventuellement) dans un grand volume d'eau. Égouttez
et mixez le tout jusqu'à obtention d'une pâte légèrement
grumeleuse. Salez, ajoutez de l'eau, afin d'obtenir un
mélange ayant la consistance d'une pâte à crêpes. Laissez
reposer pendant 24 heures à température ambiante.
Faites chauffer une poêle antiadhésive légèrement huilée :
versez un peu de pâte en son centre et étalez-la du dos
d'une cuillère en bois de façon à former une crêpe
épaisse. Dès que la consistance est ferme, arrosez d'huile.
Lorsque la dosa paraît croustillante et dorée, retournez-la
et faites cuire l'autre face. *Pour 4 ou 5 crêpes.*

LÉGUMES AU CURRY

*Recette de base pouvant être réalisée avec différents
légumes, suivant la saison.*

INGRÉDIENTS
*2 cuillerées à soupe d'huile
1 cuillerée à café de graines de moutarde noire
1 tomate hachée
$\frac{1}{4}$ cuillerée à café de curcuma
1 cuillerée à café de curry en poudre
1 cuillerée à café de sel
1 chou-fleur séparé en bouquets
2 pommes de terre détaillées en cubes et ébouillantées
5 cl d'eau
jus de citron selon goût*

Faites chauffer l'huile dans une grande casserole. Versez-
y les graines de moutarde et faites les revenir jusqu'à ce
qu'elles crépitent. Réduisez le feu, ajoutez la tomate et
laissez cuire 3 à 4 minutes à couvert. Incorporez alors
curcuma, curry et sel, puis le chou-fleur, et remuez
pour bien enrober les légumes d'épices. Enfin, ajoutez
les pommes de terre, l'eau et le jus de citron. Poursuivez
la cuisson 15 à 20 minutes, à feu moyen et à couvert,
en remuant jusqu'à ce que les légumes soient tendres.
Pour 6 personnes.

LASAGNES VÉGÉTARIENNES

*Les végétaliens peuvent supprimer le fromage
de cette recette adaptée du fameux plat italien.*

INGRÉDIENTS

*175 g d'épinards blanchis, égouttés et essorés
280 g de tofu, émietté et égoutté
sel et poivre fraîchement moulu
2 courgettes moyennes détaillées en julienne
1 poivron rouge détaillé en julienne
huile d'olive
1 kg de sauce tomate (voir p. 143)
6 plaques de lasagnes cuites et égouttées
120 g de gruyère râpé (facultatif)
2 cuillerées à soupe de parmesan (facultatif)
2 cuillerées à soupe de graines de sésame ou de tournesol*

Hachez les épinards, mélangez-les au tofu, salez, poivrez.
Faites revenir courgettes et poivron dans l'huile pendant
3 minutes. Préchauffez le four à 180 °C/Th. 4. Étalez une
couche de sauce tomate dans un plat à gratin huilé de
25 × 20 cm. Recouvrez successivement d'une couche
de lasagnes, de la moitié du mélange épinards-tofu, puis
de la moitié du mélange courgettes-poivron. Saupoudrez
éventuellement de la moitié du fromage râpé. Répétez
l'empilement des couches et saupoudrez de parmesan
(facultatif), puis de graines de sésame ou de tournesol.
Placez le plat au four 50 à 60 minutes. *Pour 4 personnes.*

LÉGUMES À LA GRECQUE

*À accompagner de riz ou de pâtes, ou encore de tranches
de pain frais et d'une salade grecque traditionnelle.*

INGRÉDIENTS

*3 cuillerées à soupe d'huile d'olive
10 petites pommes de terre nouvelles épluchées
4 courgettes moyennes découpées en lanières de 5 cm
4 tomates moyennes hachées
2 cuillerées à soupe d'aneth frais haché,
ou 2 cuillerées à café d'aneth séché
60 cl d'eau
sel et poivre*

Faites chauffer l'huile dans une cocotte et faites-y revenir
les pommes de terre en remuant régulièrement jusqu'à ce
qu'elles soient tendres. Incorporez courgettes, tomates et
aneth. Versez l'eau, portez à ébullition, couvrez et laissez
frémir 25 à 30 minutes en remuant délicatement. Ajoutez
un peu d'eau si nécessaire. Lorsque les légumes sont
tendres, salez et poivrez. Servez accompagné de pâtes
ou de riz et d'une salade composée. *Pour 6 personnes.*

*LASAGNES
VÉGÉTARIENNES*

PASTA AL POMODORO

Un plat simple, aussi rapide à préparer qu'excellent.

INGRÉDIENTS

*2 cuillerées à soupe d'huile d'olive
$1/_2$ cuillerée à café de piment séché émietté
1 beau poivron rouge détaillé en lanières de 1 cm
2 boîtes de tomates pelées (800 g)
2 cuillerées à soupe de concentré de tomate
175 g d'olives noires
2 cuillerées à soupe de câpres
sel et poivre fraîchement moulu
500 g de pennes ou de rigatonis*

Faites chauffer l'huile dans une sauteuse. Faites-y revenir
le piment pendant quelques secondes, en remuant pour
l'empêcher de noircir. Ajoutez le poivron rouge et laissez
cuire environ 10 minutes à feu doux et à couvert, jusqu'à
ce que le poivron soit tendre. Incorporez les tomates
et écrasez-les du dos d'une cuiller en bois, versez le
concentré de tomate. Portez la préparation à ébullition,
puis réduisez le feu et laissez mijoter une trentaine de
minutes en remuant régulièrement. Enfin, ajoutez olives
et câpres, et laissez cuire 5 minutes. Salez et poivrez
selon goût. Entre-temps, vous aurez fait cuire les pâtes
al dente dans un grand volume d'eau salée. Égouttez
les pâtes et servez aussitôt avec la sauce.
Pour 6 personnes.

Paupiettes de Chou

Des paupiettes farcies de haricots et de riz brun aromatisées au carvi et servies avec une sauce tomate.

Ingrédients

1 beau chou de Milan
1 cuillerée à café de graines de carvi
1 cuillerée à soupe d'huile d'olive ou 15 g de beurre
75 g de riz cuit
2 cuillerées à soupe de raisins secs
200 g de haricots secs, cuits (lingots, cocos, flageolets, etc.)
sel et poivre
500 g de sauce tomate (voir p. 143)

Préchauffez le four à 180 °C/Th. 4. Retirez 6 belles feuilles de chou, rincez-les et cuisez-les 3 à 4 minutes à la vapeur. Émincez le quart du chou restant, en réservant le cœur pour une autre recette. Faites revenir 10 minutes le chou émincé et les graines de carvi dans le beurre ou l'huile. Hors du feu, incorporez le riz cuit, les raisins secs et les haricots cuits. Assaisonnez selon goût.

Placez sur chaque feuille 1 cuillerée de farce, puis roulez-la en paupiette, en refermant chaque extrémité par une pique à cocktail en bois. Posez les paupiettes côte à côte dans un plat à gratin légèrement huilé. Couvrez de sauce tomate et enfournez pour 30 minutes.
Pour 6 personnes.

Pain de Châtaignes

Un plat de fête riche et roboratif, que l'on peut accompagner de panais sautés, de choux de Bruxelles et d'une sauce.

Ingrédients

175 g de châtaignes épluchées
175 g de millet
150 g de fruits à coque
(amandes, noix du Brésil, cacahuètes, etc.)
15 cl d'huile végétale
2 petites carottes râpées
$\frac{1}{2}$ chou (petit) finement émincé
2 petites branches de céleri émincées
$\frac{1}{2}$ tête de brocoli détaillée en bouquets
1 cuillerée à soupe d'herbes aromatiques finement hachées
2 cuillerées à soupe de concentré de tomate
poivre noir
sel ou tamarin, selon goût
1 cuillerée à soupe d'amandes effilées
1 cuillerée à soupe de graines de potiron

Faites bouillir les châtaignes. Lorsqu'elles sont tendres, égouttez-les en réservant le liquide de cuisson. Portez à ébullition une grande quantité d'eau. Jetez-y le millet, laissez frémir 10 à 15 minutes. Broyez les fruits à coque jusqu'à obtention d'une chapelure grossière que vous passerez au four à 200 °C/Th. 6, pendant 10 minutes, en remuant à mi-cuisson. Une fois les fruits secs hors du four, réduisez la température à 180 °C/Th. 4.

Chauffez l'huile dans une grande casserole ; jetez-y carottes, chou et céleri, laissez cuire 10 minutes à feu doux et à couvert. Ajoutez les brocolis et prolongez la cuisson 10 minutes environ. Lorsque les brocolis sont tendres, incorporez à la préparation, hors du feu, herbes, concentré de tomate, châtaignes et millet égouttés, fruits à coque et poivre, en mélangeant soigneusement. Assaisonnez de sel ou de tamarin. Passez le tout au mixer jusqu'à obtention d'une purée grossière. Versez-la dans un grand moule à cake, et garnissez d'amandes effilées et de graines de potiron. Cuisez au four 35 à 40 minutes.

Vous pouvez accompagner ce délicieux pain de châtaignes d'une sauce aux amandes et au miso ou d'une sauce tomate (voir p. 143).
Pour 6 personnes.

Paupiettes
de Chou

GÂTEAU DU BERGER

Sous une belle croûte dorée, un mélange savoureux de légumes secs et de légumes verts.

INGRÉDIENTS

225 g de haricots secs
225 g de lentilles vertes rincées
2 cuillerées à soupe d'huile
2 carottes râpées
$1/4$ gros chou rouge finement émincé ou râpé
1 cuillerée à café de cumin en poudre
1 cuillerée à café de cannelle en poudre
1 cuillerée à soupe de thym frais émietté
$1/2$ cuillerée à café de noix muscade râpée
2 panais détaillés en dés
$1/2$ tête de brocoli détaillée en petits bouquets
$1/4$ chou-fleur détaillé en petits bouquets
4 cuillerées à soupe de concentré de tomate
1 boîte (400 g) de tomates pelées, hachées ou mixées
sel et poivre
15 cl de jus de pomme concentré

CROÛTE

225 g de chou-rave détaillé en cubes
450 g de pommes de terre
1 panais détaillé en cubes
10 g de margarine ou de beurre
1 ou 2 cuillerées à soupe de lait de soja
2 cuillerées à soupe de persil finement haché
1 ou 2 cuillerées à soupe de tahin

GRATIN DE POMMES DE TERRE ET DE COURGETTES

Un plat qui associe avec bonheur la consistance crémeuse des courgettes et le croustillant des pommes de terre ; à accompagner de pain complet.

INGRÉDIENTS

25 g de graines de tournesol
$1/2$ cuillerée à café de tamarin
700 g de pommes de terre pelées et détaillées en dés
3 belles courgettes lavées et détaillées en dés
2 cuillerées à soupe de basilic fraîchement haché
quelques cuillerées à soupe de lait
15 g de beurre
sel et poivre
75 g de gruyère ou de cheddar végétarien râpé
$1/2$ cuillerée à café de paprika

La veille, vous aurez fait tremper les haricots dans une grande quantité d'eau froide. Égouttez-les, placez-les avec les lentilles dans une casserole, couvrez largement d'eau froide (au moins deux fois le volume des légumes). Maintenez une forte ébullition pendant 10 minutes, puis réduisez le feu et laissez frémir 20 minutes à couvert. Égouttez.

Faites chauffer l'huile dans une grande casserole et faites-y revenir pendant 5 minutes carottes râpées, chou rouge, épices et herbes, en remuant fréquemment. Ajoutez alors les dés de panais et laissez cuire encore 5 minutes ; incorporez ensuite brocoli, chou-fleur, concentré de tomate et tomates. Salez, poivrez selon goût. Laissez cuire 5 minutes, avant d'introduire haricots, lentilles et jus de pomme. La préparation ne doit pas être trop liquide.

Pour préparer la croûte, faites bouillir chou-rave, pommes de terre et panais ; lorsqu'ils sont bien tendres, égouttez-les. Réduisez le tout en purée, incorporez alors beurre ou margarine, lait de soja, persil et tahin. Versez dans un plat huilé la préparation à base de légumes secs, couvrez-la de la «croûte» et faites dorer 35 à 40 minutes au four réglé à 190 °C/Th. 5. *Pour 6 personnes.*

Préchauffez le four à 180 °C/Th. 4. Faites griller durant 5 minutes les graines de tournesol et mélangez-les au tamarin. Faites bouillir les pommes de terre. Lorsqu'elles sont tendres, égouttez-les et réservez-les. Faites étuver légèrement les courgettes, puis placez-les dans un plat à gratin huilé. Saupoudrez-les des graines de tournesol et du basilic. Préparez une purée de pommes de terre en ajoutant à celles-ci le lait, le beurre, le sel et le poivre. Étalez cette purée sur les courgettes, saupoudrez le tout de fromage et de paprika. Mettez au four 25 minutes. *Pour 4 à 6 personnes.*

LA CUISSON DES LÉGUMINEUSES

Pois, haricots en grains et lentilles, ou légumineuses, représentent une part nutritionnelle importante de l'alimentation végétarienne. Il faut très souvent les faire tremper dans de l'eau froide plusieurs heures, mais il est toutefois possible d'accélérer cette opération en portant d'abord les légumineuses à ébullition. La cuisson se fait à l'eau frémissante et à couvert, dans un grand volume d'eau, en remuant de temps à autre.

CHILI VÉGÉTARIEN

Un plat relevé et délicieux, étonnamment simple et rapide à réaliser, surtout si l'on utilise des haricots précuits.

INGRÉDIENTS

200 g de haricots rouges (ou 1/2 boîte)
1 1/2 cuillerée à café de piment en poudre
1/2 cuillerée à café de cumin en poudre
1/2 cuillerée à café de curcuma
1 cuillerée à soupe de tamarin
4 cuillerées à soupe d'huile végétale
1 beau poivron vert épépiné et haché
3 branches de céleri hachées
1 belle carotte râpée
2 belles tomates hachées
4 cuillerées à soupe de concentré de tomate
3 cuillerées à soupe de jus de citron
1 pincée de sel

La veille, vous aurez fait tremper les haricots rouges dans l'eau froide. Égouttez-les, placez-les dans une casserole et couvrez-les d'eau fraîche. Portez à ébullition et maintenez celle-ci 10 minutes. Réduisez le feu, couvrez et laissez frémir 30 minutes. Quand les haricots sont tendres, égouttez-les et réservez-les.

Faites revenir les épices dans une sauteuse huilée, en remuant. Puis ajoutez poivron, céleri, carotte et laissez cuire quelques minutes. Incorporez alors le reste des ingrédients en remuant. Laissez frémir 15 minutes, versez les haricots rouges dans la sauteuse, salez et prolongez la cuisson 15 minutes. Servez avec du pain de maïs. *Pour 4 personnes.*

DES CÉRÉALES PROVIDENTIELLES

▶ Les céréales sont essentielles dans l'alimentation végétarienne, car elles apportent la moitié des acides aminés nécessaires à la constitution des protéines. Elles sont bon marché, faciles à préparer et à stocker. Au nombre des céréales figurent le blé sous toutes ses formes, le riz, le millet, l'orge, l'avoine et le maïs.

▶ Pour préparer des céréales, commencez par les rincer plusieurs fois à l'eau froide. Égouttez-les et placez-les dans un grand récipient, additionnées de quatre fois leur volume d'eau. Portez à ébullition et salez éventuellement. Remuez une fois, couvrez, baissez le feu et laissez frémir jusqu'à ce que tout le liquide ait été absorbé.

▶ Pour donner aux céréales un arôme de noisette, passez-les au four à 175 °C/Th. 4 jusqu'à ce qu'elles brunissent. Vous pouvez également remplacer l'eau de cuisson par du bouillon ou du jus de légumes.

PAIN DE HARICOTS

Une bonne façon d'utiliser les restes de céréales et de haricots en grains. On peut accompagner ce plat de sauce pour tacos ou de gado gado (voir pp. 142-143).

INGRÉDIENTS

175 g de cocos rosés ou de haricots de Lima, cuits
450 g de riz brun cuit
110 g de chapelure de pain complet ou de germes de blé
110 g de gruau d'avoine
110 g de fruits à coque hachés (facultatif)
5,5 cl d'huile végétale
1 cuillerée à soupe de persil haché
1 cuillerée à soupe de basilic haché
1/2 cuillerée à soupe de thym émietté
tamarin

Préchauffez le four à 175 °C/Th. 4. Écrasez les haricots à la fourchette, puis incorporez à cette purée le reste des ingrédients. Assaisonnez de tamarin selon goût. Versez la préparation dans un moule à cake huilé et faites cuire 1 heure au four.
Pour 6 personnes.

BOULGHOUR AUX LÉGUMES

Un plat complet et coloré, dans lequel les légumes encore croquants se marient à merveille avec le blé concassé.

INGRÉDIENTS

175 g de boulghour (blé germé, séché et concassé)
50 g de beurre
450 g de légumes variés (carottes, céleri, poivrons, courgettes, etc.) détaillés en gros dés
40 cl d'eau
2 cuillerées à soupe de tamarin
2 cuillerées à soupe de basilic haché

Dans une cocotte, faites dorer le boulghour dans 25 g de beurre, puis ajoutez les légumes, l'eau, le tamarin et le basilic. Mélangez intimement le tout et couvrez. Maintenez un léger frémissement pendant 20 minutes, en remuant régulièrement pour empêcher le blé de faire des grumeaux. Lorsque les légumes sont tendres et que tout le liquide a été absorbé, incorporez à la préparation le reste du beurre, remuez délicatement et servez.
Pour 4 à 6 personnes.

POIS MANGE-TOUT AU CURRY

Un plat indien traditionnel, préparé à partir des pois les plus digestes et les plus « gourmands ».

INGRÉDIENTS

225 g de pois mange-tout avec leur cosse
75 cl d'eau froide
1 pincée de curcuma
4 petites tomates (ou 2 grosses) hachées
1 morceau de gingembre (3 cm) pelé et râpé
5 ou 6 feuilles d'épinards finement hachées
*½ cuillerée à café de coriandre en poudre
et/ou de cumin en poudre*
1 cuillerée à soupe de beurre
*1 cuillerée à café de graines de moutarde
et/ou de fenouil*
sel

Lavez les pois et égouttez-les soigneusement. Faites-les revenir à sec dans une poêle, à feu moyen, jusqu'à ce qu'ils se dessèchent et prennent un arôme de grillé. Versez-les dans une grande casserole contenant l'eau et le curcuma. Portez à ébullition et laissez frémir 15 minutes. Puis incorporez-y tomates et gingembre et poursuivez la cuisson une dizaine de minutes. Lorsque les pois sont tendres, ajoutez épinards, coriandre et/ou cumin. Mélangez bien et couvrez. Faites fondre le beurre dans une sauteuse et faites-y revenir les graines de moutarde et/ou de fenouil. Ajoutez alors la préparation aux pois, mélangez et laissez cuire quelques minutes. Salez selon goût et servez. *Pour 4 personnes.*

LÉGUMES À LA VAPEUR

Un mode de cuisson d'antique tradition, qui conserve vitamines et minéraux des aliments.

INGRÉDIENTS

1 kg de légumes variés : brocolis, chou-fleur, choux de Bruxelles, courgettes, petits pois, etc.

Lavez et découpez les légumes en petits morceaux. Mettez-les dans un cuit-vapeur ou, à défaut, dans une sauteuse hermétiquement fermée, avec 2,5 cm d'eau. Posez au fond les légumes qui cuisent le moins vite. Placez le cuit-vapeur à feu vif jusqu'à ébullition, puis réduisez le feu et laissez étuver pendant 8 à 15 minutes. Les légumes doivent être tendres mais fermes. Égouttez si nécessaire. *Pour 4 personnes.*

LÉGUMES SAUTÉS

LÉGUMES SAUTÉS

Un plat délicieux en toute saison, à préparer à partir de légumes parfaitement frais. On peut éventuellement l'accompagner d'une sauce de son choix.

INGRÉDIENTS

3 cuillerées à soupe d'huile végétale
1 carotte et 1 panais finement émincés
¼ chou finement émincé
1 branche de céleri finement émincée
150 g de petits pois
1 poivron vert finement émincé
1 poivron rouge finement émincé
¼ tête de brocoli détaillée en bouquets
¼ chou-fleur détaillé en bouquets
1 petite courgette détaillée en julienne

Faites chauffer l'huile dans un wok ou une grande poêle. Lorsqu'elle est brûlante, ajoutez carotte et panais, et faites revenir 1 minute environ. Ajoutez le chou, le céleri, les petits pois, et prolongez la cuisson 1 minute. Incorporez les autres légumes et faites saisir le tout 2 à 3 minutes. Les légumes doivent rester croquants. Servez accompagné de sauce au gingembre et au tamarin (voir p. 143), et de riz nature. *Pour 4 à 6 personnes.*

SAUCES ET CONDIMENTS

Le plus simple des plats se transforme en un mets raffiné dès lors qu'on l'accompagne d'une sauce colorée et appétissante. À la fois savoureux et nutritifs, les condiments ont également l'avantage de faciliter la digestion.

SAUCE POUR TACOS

Elle relève agréablement n'importe quel plat. On peut la servir en accompagnement d'un pain de haricots (voir p. 140) ou avec des chips de blé biologique.

INGRÉDIENTS

1 belle tomate concassée
2 cuillerées à soupe de purée de tomates
$1/_2$ cuillerée à soupe de jus de citron
$1/_8$ cuillerée à café de moutarde
$1/_8$ cuillerée à café de cannelle en poudre
$1/_4$ cuillerée à café de cumin en poudre
sel, poivre noir et poivre de Cayenne, selon goût

Dans un ravier, mélangez intimement tous les ingrédients et servez aussitôt.
Pour 240 g.

GRAINES DE POTIRON AU WAKAMÉ

Un condiment pour soupes et salades.

INGRÉDIENTS

25 g de graines de potiron rincées
1 cuillerée à café de paillettes de wakamé (algue)

Faites revenir les graines et le wakamé dans une poêle, à sec. Puis mixez pour obtenir une chapelure ayant une consistance grossière. *Pour 25 g.*

GRAINES DE TOURNESOL AU GINGEMBRE

Un délicieux en-cas, qui peut également accompagner salades et céréales.

INGRÉDIENTS

25 g de graines de tournesol rincées
$1/_2$ cuillerée à café de gingembre râpé

Faites revenir les graines dans une poêle. Dès qu'elles sont dorées et légèrement gonflées, retirez-les du feu et mélangez-les au gingembre. *Pour 25 g.*

GOMASHIO

Un condiment japonais énergétique.

INGRÉDIENTS

25 g de graines de sésame rincées et égouttées
$1/_2$ cuillerée à café de sel

Faites rôtir les graines 10 minutes à four très chaud, en les remuant une fois. Salez, poursuivez la cuisson pendant 1 minute. Laissez-les tiédir et broyez-les dans un mortier. *Pour 25 g.*

GRAINES DE TOURNESOL AU GINGEMBRE

GRAINES DE POTIRON AU WAKAMÉ

SAUCE POUR TACOS

GOMASHIO

SAUCE TOMATE

Pour accommoder des lasagnes (voir p. 137), par exemple.

INGRÉDIENTS

2 cuillerées à soupe d'huile d'olive
450 g de légumes (courgettes, poivrons verts, carottes, etc.)
1 feuille de laurier
1 cuillerée à café d'origan séché
$1/2$ cuillerée à café de thym séché
$1/4$ cuillerée à café de basilic séché
1 cuillerée à café de sel
500 g de tomates fraîches concassées,
ou 1 grosse boîte de tomates pelées
3 cuillerées à soupe de concentré de tomate
$1/4$ cuillerée à café de miel
$1/8$ cuillerée à café de poivre

SAUCE TOMATE

Chauffez l'huile dans une poêle à feu moyen ; faites-y revenir les légumes quelques minutes en remuant. Incorporez les herbes et laissez cuire encore quelques minutes. Puis ajoutez le sel, les tomates, le concentré, le miel et le poivre et prolongez la cuisson pendant 45 minutes. Laissez longuement reposer la sauce avant de la servir, afin que les arômes se mélangent. *Pour 1 kg environ.*

SAUCE AUX AMANDES ET AU MISO

INGRÉDIENTS

4 cuillerées à soupe de miso clair
6 cuillerées à soupe de beurre d'amandes
17,5 cl d'eau bouillante

Placez dans un saladier le miso, le beurre d'amandes et la moitié de l'eau bouillante. Mélangez à la cuiller jusqu'à obtention d'une pâte lisse. Ajoutez progressivement le reste de l'eau en mélangeant bien. *Pour 37,5 cl.*

SAUCE AU GINGEMBRE ET AU TAMARIN

INGRÉDIENTS

3 cuillerées à soupe de tamarin
3 cuillerées à soupe d'eau
3 cuillerées à café de gingembre râpé

Mélangez tous les ingrédients et laissez reposer 2 heures au moins pour laisser l'arôme se développer. *Pour 15 cl.*

GADO GADO

Cette sauce indonésienne doit être préparée avec du beurre de cacahuètes frais et non traité.

INGRÉDIENTS

$1\,1/2$ cuillerée à soupe d'huile végétale
$1/2$ branche de céleri ou $1/4$ poivron vert détaillé en dés
1 cuillerée à soupe de gingembre râpé
curry en poudre, cumin moulu ou poivre de Cayenne,
selon goût (facultatifs)
150 g de beurre de cacahuètes
30 cl d'eau
50 g de noix de coco en pâte ou de pulpe sèche râpée
2 cuillerées à soupe de tamarin
$1\,1/2$ cuillerée à café de miel
le jus de $1/2$ citron

Faites chauffer l'huile dans un wok. Versez-y les dés de céleri ou de poivron, le gingembre, et éventuellement le curry, le cumin ou le poivre de Cayenne et faites revenir le tout à feu doux. Dès que les légumes sont tendres, incorporez le beurre de cacahuètes en remuant bien. Lorsque le mélange bouillonne, ajoutez l'eau pour obtenir une préparation à la consistance crémeuse.

Portez la préparation à ébullition, réduisez le feu et laissez frémir. Ajoutez alors noix de coco, tamarin, miel et jus de citron. Goûtez et rectifiez au besoin l'assaisonnement. Laissez mijoter jusqu'à ce que l'huile monte à la surface de la sauce (environ 10 minutes).

Accompagnement idéal des légumes à la vapeur (voir p. 141) – carottes, haricots verts, petits pois, asperges, brocolis et chou-fleur –, le gado gado donne du caractère au mets le plus simple.
Pour 45 cl.

LES DESSERTS

Le fait d'être végétarien n'empêche pas d'apprécier les douceurs, à condition
que celles-ci soient confectionnées à base de produits naturels et diététiques.
Pour les gourmands, voici quelques délicieuses recettes, simples ou plus élaborées.

POMMES AU FOUR

*Un chaleureux dessert hivernal, que l'on peut faire cuire
au four en même temps que le plat principal.*

INGRÉDIENTS
*6 belles pommes
50 g de raisins secs et/ou de dattes hachées
50 g de noix hachées ou de graines de sésame
6 cl de jus de pomme
yoghourt pour servir (facultatif)*

Préchauffez le four à 180 °C/Th. 4. Évidez les pommes
sans les éplucher et placez-les sur un plat allant au four.
Mélangez dans un grand bol raisins et/ou dattes, noix
ou graines de sésame et jus de pomme. Répartissez cette
préparation dans le creux des pommes et cuisez au four
50 minutes environ. Servez chaud, éventuellement
accompagné de yoghourt.
Pour 6 personnes.

GÂTEAU FROMAGER

Un dessert de fête, délicieux et facile à préparer.

INGRÉDIENTS
*100 g de biscuits diététiques émiettés
75 g de noix grossièrement hachées
4 cuillerées à soupe de beurre
400 g de fromage blanc
25 cl de yoghourt
3 ou 4 cuillerées à soupe de miel
1 cuillerée à café d'essence de vanille
fruits frais (garniture)*

Mélangez les biscuits émiettés, les noix hachées, le beurre
fondu et tassez cette préparation dans un moule de 23 cm
de diamètre. Mettez le tout au réfrigérateur pendant 2 heures
environ. Puis cuisez au four, préchauffé à 180 °C/Th 4,
pendant 10 minutes environ. Lorsque le gâteau est doré
de façon uniforme, réservez-le.

Versez fromage blanc et yoghourt dans un saladier et
fouettez le mélange, si possible au batteur électrique, afin
d'obtenir une préparation mousseuse. Incorporez-y le miel
et l'essence de vanille. Versez cette crème sur le gâteau et
mettez-le au réfrigérateur. Décorez de fruits frais juste au
moment de servir.
Pour 6 à 8 personnes.

VARIANTES : pour confectionner un gâteau fromager
au chocolat, ajoutez au mélange fromage blanc-
yoghourt 25 g de cacao en poudre et décorez
de quelques copeaux de chocolat noir.

Pour faire un gâteau fromager à l'orange
ou au citron, incorporez au mélange fromage
blanc-yoghourt 2 cuillerées à soupe de jus
d'orange ou de citron, et décorez de petits
morceaux d'agrumes.

GÂTEAU FROMAGER

SUPRÊME DE FRAISES

Un dessert estival, dans lequel les fraises peuvent être remplacées par d'autres fruits juteux.

INGRÉDIENTS

*4 cuillerées à soupe d'agar-agar en poudre,
ou autre gélifiant végétarien
30 cl d'eau froide
30 cl d'eau chaude
15 cl de miel
30 cl de jus d'orange
2 cuillerées à soupe de jus de citron
3 ou 4 fraises émincées
crème fouettée et 6 fraises entières
pour la garniture*

Dans une casserole, faites tremper 1 minute l'agar-agar (ou autre gélifiant) dans l'eau froide, puis ajoutez l'eau chaude. Portez à ébullition et maintenez-la 2 minutes. Laissez tiédir, incorporez le miel, le jus d'orange, le jus de citron, les lamelles de fraises. Remuez délicatement. Versez dans des coupes individuelles que vous placerez au moins 2 heures au réfrigérateur. Garnissez chaque coupe de crème fouettée et de 1 fraise.
Pour 6 personnes.

VARIANTE : vous pouvez remplacer les fraises par des bananes, du raisin, ou d'autres fruits de saison.

BURFI

Un dessert indien traditionnel, réservé aux jours de fête.

INGRÉDIENTS

*30 cl de miel
250 g de beurre
$\frac{1}{4}$ cuillerée à café de cardamome en poudre
5 cl de lait
100 g de fruits secs broyés
(amandes, noisettes, pistaches, etc.)
275 g de lait en poudre*

Dans une casserole, faites chauffer à feu doux le miel, le beurre, la cardamome et le lait, en remuant pour éviter que la préparation n'attache. Quand le mélange est bien homogène, incorporez les fruits secs et retirez du feu. Ajoutez le lait en poudre en pluie, en remuant jusqu'à dissolution complète. Lorsque la préparation est devenue très épaisse, étalez-la dans un moule à bords étroits que vous mettrez 2 heures au réfrigérateur. Découpez ensuite en losanges et servez à température ambiante.
Pour 30 à 40 losanges.

TARTE AU TOFU

Un dessert non lacté, mais crémeux à souhait, extrêmement sain et digeste.

FOND

*5 cl de sirop d'érable
5 cl d'huile végétale légère
5,5 cl d'eau
150 g de gruau d'avoine
50 g de farine de blé complète
40 g de graines de tournesol
1 pincée de sel*

GARNITURE

*720 g de tofu tendre
1 ou 2 cuillerées à soupe de tahin
zeste de 1 citron râpé
10 cl de sirop d'érable
5 cl d'huile végétale légère
5,5 cl d'eau
1 pincée de sel
fruits frais pour décorer*

Préchauffez le four à 200 °C/Th. 6. Huilez légèrement un moule à tarte de 23 cm de diamètre. Pour confectionner le fond, mettez dans un saladier le sirop d'érable, l'huile et l'eau, battez le tout, puis incorporez le gruau d'avoine, la farine, les graines de tournesol et le sel en mélangeant bien. Étalez la préparation au fond du moule en modelant du bout des doigts un petit rebord de 2,5 cm. Faites dorer 10 à 15 minutes au four, puis mettez à refroidir sur une grille. Réduisez la température du four à 180 °C/Th. 4.

Pour confectionner la garniture, mixez tofu, tahin, zeste de citron, sirop d'érable, eau, huile et sel jusqu'à obtention d'une crème lisse. Versez celle-ci sur le fond de tarte et faites dorer au four pendant 30 minutes. Servez en tranches fines, garnies de fraises, ou d'autres fruits de votre choix.
Pour 8 personnes.

Les Pains

L'odeur du pain à peine sorti du four est irrésistible ; quant au produit confectionné à la maison, il est généralement beaucoup plus savoureux que celui du commerce. Si vous ne pouvez moudre votre propre farine, procurez-vous de la farine complète très fraîche.

Muffins
au Fromage

Muffins au Son et aux Raisins Secs

Particulièrement délicieux tout chauds sortis du four.
On peut éventuellement remplacer le sucre brun
par de la mélasse.

Ingrédients

600 g de farine de blé complète
100 g de son
150 g de raisins secs
1 cuillerée à café de sel
2 cuillerées à café de levure
6 cuillerées à soupe de sucre brun
50 cl d'eau
6 cuillerées à soupe d'huile

Préchauffez le four à 190 °C/Th. 5. Huilez une plaque à pâtisserie. Dans un saladier, mélangez farine, son, raisins secs, sel, levure et sucre brun. Dans un autre saladier, versez l'eau et l'huile. Ajoutez à ce liquide le mélange sec et travaillez jusqu'à obtention d'une pâte élastique, sans excès, sous peine de rendre les muffins trop lourds et indigestes.

Répartissez sur la plaque 12 grosses cuillerées de pâte et cuisez 20 à 30 minutes au four. Pour vérifier la fin de la cuisson, piquez une fourchette dans un muffin : celle-ci doit ressortir propre. Servez les muffins tièdes. *Pour 12 muffins.*

Muffins au Fromage

Savoureux muffins pouvant accompagner une soupe.

Ingrédients

100 g de carottes râpées
600 g de farine de blé complète
100 g de maïs doux
100 g de courgettes finement hachées
150 g de gruyère, ou de cheddar végétarien, râpé
2 cuillerées à café de basilic séché
1 cuillerée à café d'origan séché
1 cuillerée à café de levure
1 cuillerée à café de sel
poivre noir selon goût
1 cuillerée à café de sucre brun
1 boîte (400 g) de tomates pelées,
ou 500 g de tomates fraîches mixées
20 cl d'eau
4 cuillerées à soupe d'huile

Garniture

100 g de gruyère, ou de cheddar végétarien, râpé
1 ou 2 cuillerées à café d'origan séché

Préchauffez le four à 190 °C/Th. 5. Huilez une ou bien plusieurs plaques à pâtisserie. Dans un saladier, mélangez carottes, farine, maïs, courgettes, fromage, basilic, origan, levure, sel, poivre noir et sucre. Dans un autre récipient, mélangez tomates, eau et huile. Ajoutez le mélange sec au mélange liquide et travaillez la préparation jusqu'à obtention d'une pâte élastique.

Répartissez de grosses cuillerées de pâte sur la ou les plaque(s). Pour la garniture, mélangez le fromage et l'origan et saupoudrez-en les muffins. Portez au four 30 minutes. Pour vérifier la fin de la cuisson, piquez une fourchette dans un muffin : celle-ci doit en ressortir propre. *Pour 20 à 24 muffins.*

VARIANTES : ces muffins peuvent être également aromatisés au romarin ou au thym frais. Les végétaliens peuvent remplacer le gruyère ou le cheddar par du fromage de soja.

PAIN COMPLET

La préparation du pain exige un certain savoir-faire, mais même les résultats imparfaits peuvent se révéler délicieux.

INGRÉDIENTS

2 cuillerées à café de levure de boulanger
35 à 38 cl d'eau ou de lait tiède
2 $^1\!/_2$ cuillerées à soupe de miel
2 cuillerées à café de sel marin
480 g de farine de blé complète, plus de quoi fariner
le plan de travail
3 cl d'huile végétale

Huilez un moule pour pain de 1 kg ou deux moules pour pain de 500 g. Délayez la levure dans l'eau ou le lait tiède, ajoutez le miel et laissez reposer dans un endroit chaud, environ 10 minutes, jusqu'à ce que le levain mousse. Mélangez farine et sel dans un grand saladier. Creusez un puits et versez en son centre le levain et l'huile. Faites-y tomber peu à peu la farine en remuant bien le mélange et en ajoutant, si nécessaire, du liquide. Lorsque la pâte devient ferme, travaillez-la à la main jusqu'à ce qu'elle soit élastique. Portez-la sur un plan de travail fariné, et pétrissez-la du poing. Couvrez et laissez lever : la pâte doit doubler de volume (comptez environ 1 heure).

Pétrissez à nouveau la pâte, et divisez-la éventuellement en deux pâtons. Abaissez-la aux dimensions du moule. Mettez-la dans le ou les moule(s), en appuyant bien sur les côtés pour donner à la miche une forme bombée. Saupoudrez de farine, couvrez et laissez lever 30 à 40 minutes dans un endroit chaud. (La pâte doit alors quasiment remplir le moule.)

Cuisez le(s) pain(s) dans le four, préchauffé à 200 °C/ Th. 6, 45 minutes pour une grosse miche, 35 minutes pour deux petites. Retirez la miche de son moule et retournez-la : elle est cuite si elle sonne creux. Au besoin, faites recuire 5 à 10 minutes.
Pour 1 gros pain ou 2 petits.

VARIANTES : en remplaçant l'eau par un autre liquide, tel que du bouillon de légumes, on obtient une saveur plus prononcée. On peut aussi ajouter 50 g de graines de pavot, 1 cuillerée à café d'essence d'amande et 1 cuillerée à soupe de miel.

On peut encore incorporer à la farine 50 g de graines de sésame ou 75 g de raisins secs ou de dattes.

PAIN DE MAÏS

Spécialité américaine, le pain de maïs accompagne très bien les salades.

INGRÉDIENTS

450 g de farine de maïs
275 g de farine de blé complète
50 g de son en flocons, broyé
1 $^1\!/_2$ cuillerée à café de levure chimique
1 $^1\!/_2$ cuillerée à café de bicarbonate de soude
$^3\!/_4$ cuillerée à café de sel
25 cl d'huile
5 cl de miel
50 cl d'eau ou de lait

Préchauffez le four à 200 °C/Th. 6. Huilez deux moules à pain de 1 kg. Dans un saladier, mélangez les deux farines, le son, la levure, le bicarbonate et le sel. Dans un autre grand récipient, versez l'huile, le miel et l'eau (ou le lait). Incorporez le mélange sec au mélange liquide. Rajoutez un peu d'eau ou de lait si la préparation est trop épaisse. Répartissez-la dans les deux moules et cuisez 10 minutes au four. Ramenez alors la température à 160 °C/ Th. 3, et poursuivez la cuisson 40 minutes : les miches doivent être bien levées et dorées.
Pour 2 gros pains.

VARIANTES : la préparation peut servir à confectionner des muffins. Préchauffez le four à 200 °C/Th. 6. Huilez de petits moules à pâtisserie et remplissez-les aux deux tiers de la pâte. Cuisez environ 10 minutes, puis réduisez la température à 170 °C/Th. 3 et poursuivez la cuisson 20 à 30 minutes. Laissez tiédir avant de démouler.
Pour 24 muffins.

PAIN COMPLET

GÂTEAUX ET BISCUITS

Le végétarisme n'exclut ni gastronomie ni gourmandise. Voici, pour les gourmands, quelques douceurs à consommer, pourquoi pas, après une séance de yoga...

BISCUITS SIVANANDA

Des biscuits extrêmement énergétiques, proposés pour se restaurer en fin de séance dans les centres de yoga Sivananda.

INGRÉDIENTS
250 g de flocons d'avoine
110 g de farine de blé complète
50 g de raisins secs
50 g de cacahuètes non salées broyées
150 g de sucre brun
$1^1/_2$ cuillerée à café de cannelle en poudre
$^1/_2$ cuillerée à café de noix muscade râpée
$1^1/_2$ cuillerée à café de gingembre en poudre
$^1/_2$ cuillerée à café de levure chimique
1 pincée de sel
20 cl d'huile de tournesol
20 cl de lait ou d'eau

Préchauffez le four à 200 °C/Th. 6. Mélangez tous les ingrédients secs dans un saladier ; incorporez l'huile, puis le lait ou l'eau en remuant, jusqu'à obtention d'une pâte ferme. Déposez des cuillerées de cette préparation sur des plaques huilées et aplatissez-les en petits disques de 10 cm de diamètre. Cuisez 10 à 15 minutes environ ; le pourtour des biscuits doit être doré en fin de cuisson. Laissez refroidir sur une grille.
Pour 12 biscuits.

GÂTEAU DE CAROTTES

Une façon douce et agréable d'inciter les enfants à manger des légumes.

INGRÉDIENTS
22 cl d'huile
125 g de sucre brun
10 cl de miel
35 cl de lait de soja
700 g de farine de blé complète
2 cuillerées à café de levure chimique
1 cuillerée à café de sel
$1^1/_2$ cuillerée à café de cannelle en poudre
$^1/_2$ cuillerée à café de noix muscade
ou de quatre-épices, en poudre
225 g de carottes râpées
100 g de noix hachées
100 g de raisins secs

GLAÇAGE
200 g de crème de noix de coco
zeste de $^1/_2$ citron
3 ou 4 cuillerées à soupe de sucre glace, selon goût
3 cuillerées à soupe de jus de citron frais
10 cl d'eau chaude
6 cuillerées à café de noix de coco râpée légèrement toastée

Préchauffez le four à 180 °C/Th. 4. Huilez un moule à manqué de 25 cm de diamètre. Dans un grand saladier, mélangez l'huile et le sucre, ajoutez le miel et le lait de soja, et battez au fouet. Incorporez à cette préparation la farine, la levure, le sel et les épices, puis les carottes, les noix et les raisins. Versez le tout dans le moule.

Cuisez au four environ 55 minutes. Pour vérifier la fin de la cuisson, piquez dans le gâteau une fouchette : celle-ci doit en ressortir propre. Laissez refroidir 5 minutes avant de démouler le gâteau sur une grille.

Pour le glaçage, mélangez au fouet la crème de noix de coco, le zeste de citron, le sucre glace, le jus de citron et ce qu'il faut d'eau chaude pour que la préparation s'étale facilement. Couvrez-en le gâteau refroidi, et parsemez celui-ci de noix de coco toastée. *Pour 8 à 10 personnes.*

CAKE AUX FRUITS

Une variante énergétique du traditionnel cake aux fruits confits.

INGRÉDIENTS

500 g d'un mélange de fruits secs
250 g de dattes hachées
1 pomme moyenne évidée et hachée
1 1/2 cuillerée à café de cannelle
graines de 6 gousses de cardamome broyées
1/2 cuillerée à café de gingembre en poudre
1/2 cuillerée à café de clous de girofle
50 cl de jus d'orange ou de pomme
200 g de farine de blé complète
100 g de beurre ou de margarine
200 g de fruits à coque concassés
2 cuillerées à café de levure chimique
1 pincée de sel
amandes mondées pour la décoration

Préchauffez le four à 160 °C/Th. 3. Huilez un moule à manqué de 23 cm de diamètre. Mettez fruits secs, dattes, pomme, cannelle, cardamome, gingembre, clous de girofle et jus d'orange (ou de pomme) dans une casserole, puis portez à ébullition en remuant bien pour empêcher le mélange d'adhérer au fond de la casserole. Couvrez et laissez cuire à feu doux jusqu'à ce que la pomme se délite (15 à 20 minutes).

Dans un saladier, mélangez la farine, le beurre ou la margarine, les fruits à coque, la levure et le sel. Versez sur cette préparation les fruits et mélangez délicatement le tout. Mettez la pâte obtenue dans le moule et saupoudrez le dessus d'amandes mondées. Cuisez 1 h 30 à 2 heures à mi-hauteur du four. Faites refroidir le cake sur grille. *Pour 6 à 8 personnes.*

SAUCE À L'ORANGE

Pour transformer le pain au gingembre en dessert.

INGRÉDIENTS

1 1/2 cuillerée à soupe de fécule ou de Maïzena
2 cuillerées à soupe de jus de citron
30 cl de jus d'orange
3 cuillerées à café de miel
1/3 cuillerée à café de zeste de citron

Versez dans une petite casserole fécule ou Maïzena et jus de citron ; battez le mélange au fouet et portez-le à feu très doux. Ajoutez le jus d'orange et le miel, sans cesser de remuer. Lorsque la sauce a épaissi, incorporez le zeste de citron. *Pour 30 cl.*

CAKE
AUX FRUITS

PAIN AU GINGEMBRE

Un merveilleux gâteau épicé à servir en toute occasion, éventuellement accompagné de la sauce à l'orange.

INGRÉDIENTS

18 cl d'huile
20 cl de mélasse
30 cl de yoghourt ou de lait fermenté
700 g de farine de blé complète
1 cuillerée à café de sel
1/2 cuillerée à café de clous de girofle
1 1/2 cuillerée à café de cannelle
1 cuillerée à café de gingembre
2 cuillerées à café de bicarbonate de soude
amandes mondées pour la décoration (facultatif)

Préchauffez le four à 180 °C/Th. 4. Huilez un moule rectangulaire de 30 × 20 cm. Dans un saladier, versez huile, mélasse et yoghourt ou lait fermenté. Dans un autre récipient, mettez farine, sel, clous de girofle, cannelle, gingembre et bicarbonate : ajoutez peu à peu à ces ingrédients le liquide et mélangez soigneusement pour obtenir une préparation homogène.

Versez la préparation dans le moule, saupoudrez-la éventuellement d'amandes mondées et cuisez 40 minutes environ. Laissez refroidir et découpez en carrés de 5 cm. Servez tel quel, ou accompagné de sauce à l'orange. *Pour 24 carrés.*

LE JEÛNE

Le jeûne, modéré et contrôlé, peut se révéler très bénéfique
pour l'organisme. En diminuant la ration alimentaire, on repose
totalement l'appareil digestif, ce qui permet l'élimination
des toxines accumulées.

LES BIENFAITS MENTAUX

Acte d'abstinence, le jeûne est aussi
une autodiscipline et le premier
des cinq préceptes du Raja Yoga.
Il fortifie le mental et la volonté,
tout comme on fortifie ses muscles
par l'exercice. Par un jeûne modéré
et bien maîtrisé, vous parviendrez
à développer votre concentration
et votre force mentale.

LES BIENFAITS PHYSIQUES

Les ascètes de l'Inde vivent durant très
longtemps avec une ration alimentaire
presque insignifiante faite de riz et de
légumes. Sans préconiser un tel régime,
un jeûne, ne serait-ce que d'un jour,
repose l'appareil digestif. On se sent
alors plus léger : l'organisme se
détoxique et se régénère. L'énergie
généralement utilisée pour digérer
est disponible pour l'entretien, voire
la guérison du corps. Le jeûne est,
en effet, parfois employé en
thérapeutique pour combattre
certaines maladies.

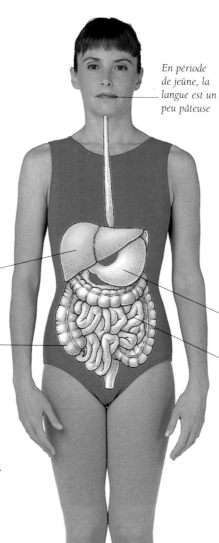

*En période
de jeûne, la
langue est un
peu pâteuse*

*Le jeûne soulage le foie
en l'épurant*

*Le jeûne peut s'accompagner
d'une légère constipation*

*La sensation de faim peut
être maîtrisée*

*Les mouvements péristaltiques sont
ralentis dans l'intestin grêle*

LES BIENFAITS SPIRITUELS

Au cours d'une journée de jeûne, le corps
et l'esprit ne sont plus « sollicités » à trois
reprises par la nourriture et ses effets, aussi
la voie de la spiritualité leur est-elle ouverte.
Toutes les religions conseillent le jeûne,
parfois assorti de veille, pour renforcer
la ferveur de la prière. Nombre de yogis
jeûnent deux fois par mois, les jours
d'Ekadasi, soit onze
jours après la nouvelle
et la pleine lune.

ANAHATA CHAKRA
*En purifiant le corps et l'esprit,
le jeûne facilite la mobilisation
de l'énergie des chakras
Ajna et Anahata.*

LE JEÛNE PLANIFIÉ

▶ Si votre état de santé le permet, vous
pouvez entreprendre un jeûne de deux
jours. Choisissez une période où vous
ne serez pas dérangé, un week-end,
par exemple. Vous pouvez jeûner seul
ou en compagnie d'autres volontaires,
qui affermiront votre résolution.

▶ Un jour de jeûne par mois est une
bonne discipline pour le corps et l'esprit.

▶ Il est recommandé d'effectuer plusieurs
fois par an un week-end de jeûne, en
particulier aux changements de saison.

COMMENT JEÛNER

Le jeûne total implique que l'on n'absorbe aucun aliment, ni solide ni liquide, pas même de jus de fruits. L'eau n'est toutefois pas considérée comme un aliment et ne stimule pas l'appétit. Aussi est-il recommandé de boire de grandes quantités d'eau en période de jeûne.

▶ En période de jeûne, choisissez des activités calmes, et efforcez-vous de ne pas penser à la nourriture.

▶ Profitez du temps libre que vous ne consacrez pas à la préparation des repas.

▶ Buvez beaucoup d'eau, de manière à nettoyer l'organisme.

▶ Pratiquez des asanas, ceux qui contribueront à votre détoxication. La marche est recommandée, mais évitez de vous fatiguer.

▶ Passez le plus de temps possible au grand air, de préférence en pleine nature.

▶ Veillez surtout à ne pas prendre froid.

▶ Le pranayama (voir p. 112) participe au processus de la purification. Concentrez-vous sur l'expiration.

▶ Efforcez-vous de pratiquer les Shad Kriyas (voir pp. 114-115), en particulier Basti.

▶ Prenez de fréquents bains pour décontracter les muscles.

▶ Détendez-vous le plus possible. Restez calme et ménagez-vous le plus d'intimité possible.

▶ Les débutants peuvent éprouver certains malaises. En cas de migraine ou de nausée, buvez un peu de tisane chaude de menthe poivrée. Évitez la consommation de thé ou de café.

ATTENTION !

Le jeûne est vivement déconseillé aux femmes enceintes, aux personnes souffrant de troubles digestifs, ainsi qu'aux anémiques. Dans le doute, consultez un médecin.

POUR ROMPRE LE JEÛNE

Rompre le jeûne exige d'observer une certaine modération : vous pouvez éprouver un appétit féroce. Résistez à cette impulsion et réhabituez-vous progressivement à manger.

1 Le premier jour, ne mangez que des fruits crus ou étuvés ; digestes, ils stimulent les mouvements péristaltiques de l'appareil digestif.

2 Le deuxième jour, ajoutez aux fruits un repas de légumes crus en salade, lequel permettra d'éliminer les toxines accumulées dans l'intestin.

3 Ajoutez à la ration alimentaire du troisième jour un plat de légumes étuvés, ne comportant ni sel ni autre assaisonnement.

4 Le quatrième jour, introduisez des céréales et des assaisonnements. Vous pouvez associer dans un même repas légumes verts et céréales.

5 Le cinquième jour, vous pouvez reprendre un régime équilibré. Efforcez-vous néanmoins de limiter votre consommation de thé, de café et d'alcool.

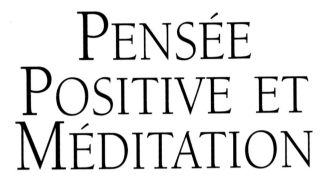

PENSÉE POSITIVE ET MÉDITATION

« *La méditation est la voie royale qui mène à la liberté, l'échelle mystérieuse qui conduit de la terre au ciel, de l'obscurité à la lumière, de la mortalité à l'immortalité.* » Swami Sivananda

QU'EST-CE QUE LA PENSÉE POSITIVE ?

Pour le yogi, « penser positivement » consiste à comprendre le Vedanta, l'une des six grandes écoles de philosophie indienne, et à vivre suivant ses préceptes. Les principaux enseignements du Vedanta sont donnés par les *Upanishad*, des textes sacrés dont le nom signifie « Connaissance suprême ».

LA PHILOSOPHIE DU VEDANTA

Le Vedanta enseigne qu'il n'existe qu'une réalité ou conscience unique et absolue : Dieu, ou l'Esprit universel (Brahman), masqué par Maya (les voiles de l'illusion). C'est en cherchant à s'unir à cet Esprit universel, en écartant les voiles qui le couvrent, que l'esprit individuel (Atman) s'éclaircira, se purifiera et parviendra à un état de liberté totale. Le yoga se fixe également pour but cet état de liberté, ou Moksha, dont l'accès passe par une quête permanente de la nature des choses. Un certain nombre de récits traditionnels s'appuient sur les analogies du Vedanta et du yoga pour guider l'adepte vers cette identification suprême et le conduire jusqu'à « la vérité d'entre les vérités ».

LA PLUIE GLISSE SUR LA FLEUR DE LOTUS MAIS NE L'AFFECTE PAS

LA PLUIE GLISSE SUR LA FLEUR DE LOTUS
Padmapatra Nyaya

Lorsque des gouttes d'eau de pluie tombent sur une fleur de lotus, elles glissent au sol sans la mouiller.

— INTERPRÉTATION —

De même que la pluie n'affecte pas la fleur, les événements de ce monde n'ont aucune influence sur Brahman, ou l'Esprit universel. On peut établir la même analogie avec un écran de cinéma : les images qui sont projetées sur sa surface ne s'y impriment en aucune façon.

LE POT ET L'ESPACE
Ghatakasha Nyaya

Si un pot, dans sa fonction de contenant, semble délimiter un espace intérieur et un espace extérieur, ce n'est en fait qu'une illusion. Lorsque le pot est brisé, ce qui était « intérieur » et ce qui était « extérieur » se fondent et se perçoivent comme un espace unique et indivisé.

— INTERPRÉTATION —

De la même façon, l'individu peut être réduit à son corps et à son esprit, mais, en réalité, il ne forme qu'un, indivisible, avec l'Esprit universel.

L'ESPACE RESTE INCHANGÉ LORSQUE LE POT SE BRISE

LE SOLEIL ET LES REFLETS
Surya Bimba Nyaya

Bien que le soleil éclaire en un nombre
infini de reflets un nombre non moins
infini de surfaces, il demeure unique.

— INTERPRÉTATION —
*Les reflets de Brahman sont également
nombreux, mais il n'y a qu'une Réalité.
Si on la voit plurielle, c'est du fait de Maya,
les voiles de l'illusion.*

TENTEZ DE
PERCEVOIR
LA NATURE
DES CHOSES

L'OR ET LES ORNEMENTS
Kanakakundala Nyaya

Quelles que soient les formes que
prennent les bijoux en or, ceux-ci
se définissent par leur nature : l'or.

— INTERPRÉTATION —
*Si le monde nous apparaît sous des aspects
divers, tout est par essence Brahman. Il n'existe
fondamentalement qu'une Réalité ou Vérité,
quelles que soient les formes qu'elle revêt.*

*UNE INFINITÉ
DE REFLETS MAIS
UNE SEULE VÉRITÉ*

*L'ILLUSION PEUT
FAIRE PRENDRE
UNE CORDE POUR
UN SERPENT*

LE SERPENT ET LA CORDE
Rajjusarpa Nyaya

Un soir qu'il marchait sur une route,
un homme trébucha sur une corde,
que l'obscurité lui fit prendre pour un
serpent. Se croyant mordu, l'homme
poussa un grand cri de frayeur. Un ami
accourut portant une torche. À la lumière
de celle-ci, l'homme s'aperçut alors de sa
méprise et ses craintes s'évanouirent.

— INTERPRÉTATION —
*Le monde semble réel lorsque l'esprit est abusé
par Maya, les voiles de l'illusion. Ce n'est qu'à
la lumière de la méditation que nous percevons
véritablement la réalité.*

POURQUOI MÉDITER

La méditation est un état de conscience que l'on ne peut comprendre que par une expérience intuitive directe. Les expériences communes sont limitées par le temps, l'espace et les lois de la causalité, mais l'état méditatif transcende ces limitations. Le passé et le futur cessent d'exister pour celui qui médite. Il ne reste que la conscience du « JE SUIS » dans un MAINTENANT infini et éternel.

FLEUR DE LOTUS

QU'EST-CE QUE LE BONHEUR ?

Tout le monde recherche le bonheur. La plupart des gens imaginent que le bonheur naît de la possession d'objets matériels – argent, voiture, villa avec piscine, etc. –, mais tout cela paraît illusoire. La possession de ces objets et ce qu'ils entraînent procurent des satisfactions immédiates, puis l'intérêt s'émousse, et l'on aspire alors à autre chose, extérieur à soi et aussi vain à exprimer un bonheur définitif. La félicité doit venir de l'intérieur : à chacun de trouver sa part de bonheur. Quiconque pense différemment est un individu errant dans le désert, constamment trompé par les mirages. Deux récits célèbres, rapportés ci-dessous, illustrent ce propos.

La respiration doit être régulière

Le dos doit rester droit

LA POSTURE DE MÉDITATION ▷
Asseyez-vous confortablement en tailleur, le dos et la tête droits. La respiration doit être régulière : inspirez et expirez toutes les 3 secondes.

△ EN QUÊTE DE DOUCEUR

Un homme qui allait rendre visite à son gourou trouva celui-ci assis devant une énorme pile de piments rouges. Le maître s'appliquait à manger les piments, l'un après l'autre. Des larmes de douleur coulaient sur ses joues et il répétait en sanglotant : « C'est terrible ! » À la question de l'homme qui lui demandait la raison de son geste, il répondit : « Je cherche celui qui est doux. » Ce gourou agissait comme la plupart d'entre nous. Nos expériences passées devraient nous enseigner que « le doux » n'existe pas, toutefois nous nous acharnons à le chercher, comme nous cherchons notre bonheur dans le matériel. Pourtant, tous les plaisirs du monde ne sont rien comparés à la félicité de la méditation.

◁ CHERCHER AU MAUVAIS ENDROIT

Une vieille femme laissa un jour tomber son aiguille. La voyant chercher dans son jardin, un passant lui offrit son aide. Après de vaines recherches, l'homme, complaisant, s'enquit toutefois de l'endroit où elle pensait avoir fait tomber l'aiguille. Interdit de s'entendre répondre : « Dans la maison », il rétorqua : « Mais pourquoi, dans ce cas, chercher ici ? » Et la vieille femme de répondre que la maison étant trop sombre, elle cherchait dehors, là où la lumière est plus vive. À l'image de cette femme, nous cherchons souvent un bonheur perdu là où il n'y a rien à trouver.

LES BIENFAITS PHYSIQUES

La méditation procure une grande paix intérieure durable. Lorsqu'on sait enfin méditer, on peut connaître une grande plénitude de l'âme et se sentir calme et tout à fait disponible dans ses activités quotidiennes. En ralentissant le rythme cardiaque et la consommation d'oxygène, la méditation participe ainsi à la régénération de l'organisme et libère l'individu du stress – au cours de sa pratique, l'esprit n'étant troublé par aucun désir matériel ni perturbé par aucun événement, la méditation contribue à ralentir le processus de vieillissement. En effet, passé l'âge de 35 ans, on perd chaque jour 100 000 cellules ; mais la méditation limite cette déperdition et combat la sénilité de manière très efficace.

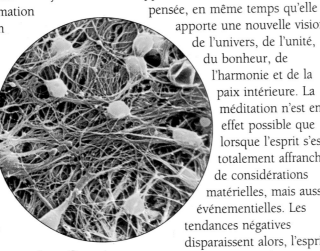

LES CELLULES CÉRÉBRALES
La méditation peut ralentir le vieillissement des cellules cérébrales.

LES BIENFAITS MENTAUX

En matière de savoir et de connaissance, chaque individu dispose de ressources, héritées, selon la philosophie indienne, pour beaucoup de ses vies antérieures. Aussi la méditation fait-elle naître et se développer de nouveaux modes de pensée, en même temps qu'elle apporte une nouvelle vision de l'univers, de l'unité, du bonheur, de l'harmonie et de la paix intérieure. La méditation n'est en effet possible que lorsque l'esprit s'est totalement affranchi de considérations matérielles, mais aussi événementielles. Les tendances négatives disparaissent alors, l'esprit s'apaise. La méditation libère de la peur de la mort, laquelle est perçue, dans la perspective d'une réincarnation, beaucoup plus sereinement, sans appréhension.

LES ÉTATS DE CONSCIENCE

▶ **L'ÉTAT DE VEILLE**

C'est l'état de l'activité diurne, celui dans lequel l'esprit fonctionne alors en toute conscience. Vous savez que vous êtes éveillé. Vous réfléchissez et raisonnez, vous percevez votre environnement. Le temps, l'espace et la causalité sont sous votre contrôle.

▶ **L'ÉTAT DE RÊVE**

Contrairement à ce que l'on pourrait imaginer, l'état intermédiaire entre veille et sommeil profond réclame et consomme de l'énergie. Si l'intellect est au repos, la perception du monde extérieur est encore un peu en éveil. La pratique régulière des asanas vous aidera à entrer dans un sommeil profond.

▶ **LE SOMMEIL PROFOND**

C'est l'état de repos total de l'esprit : vous dormez et vous ne vous percevez pas en tant qu'entité. L'ego est en sommeil. Vous n'avez donc absolument pas conscience de votre environnement, ni d'agir ni d'être.

▶ **LA MÉDITATION**

Comme dans le sommeil profond, le monde extérieur (le temps, l'espace et les événements) n'existe pas. La conscience connaît une paix absolue : les fonctions physiques, physiologiques et mentales sont mises au repos. Les sens et l'esprit sont transcendés, il ne reste que l'expérience de l'âme.

PROGRESSER VERS LA MÉDITATION

« Une once de pratique vaut des tonnes de théorie. » Swami Sivananda

▶ Votre changement d'attitude ne doit pas être brutal, mais progressif ; vous développerez ainsi votre volonté.

▶ Tenir un journal peut se révéler très édifiant. Vous deviendrez ainsi plus régulier dans votre pratique et tirerez le meilleur parti du temps dont vous disposez.

▶ Décidez d'un programme quotidien et tenez-vous-y.

▶ Avant de vous coucher, passez en revue les événements de la journée. Tenez votre journal pendant au moins six mois : vous pourrez ainsi constater les progrès réalisés.

▶ Rappelez-vous que régularité et sincérité de vos intentions sont des facteurs essentiels de réussite.

▶ Vous seul pouvez évaluer les progrès accomplis. Il s'agit d'une démarche parfaitement subjective ; il n'y a ni but à atteindre ni mode d'emploi.

▶ Sentez-vous que votre corps et votre esprit s'allègent et se débarrassent d'une certaine tristesse ?

▶ Vous sentez-vous plus paisible, plus en accord avec vous-même, moins sujet aux crises émotionnelles ?

COMMENT MÉDITER

La méditation est un état de conscience qui ne s'« apprend » pas plus
que l'on apprend à dormir. À partir du moment où la conscience
se focalise sur le centre spirituel, l'esprit passe naturellement de l'état
de conscience ordinaire à celui de méditation.

LA RÉGULARITÉ EST PRIMORDIALE

L'accès à la méditation passe par la régularité des séances et par
la permanence du lieu – deux conditions qui permettent à l'individu
de concentrer ses énergies. L'esprit semble particulièrement sollicité
et actif lorsqu'on s'efforce de se concentrer. Toutefois, de même que
la répétition d'une action conduit à la rapidité de son exécution, on
peut s'entraîner à se concentrer plus rapidement grâce à une pratique
régulière. La page ci-contre détaille les étapes de cet entraînement.

LA POSITION ASSISE ▷

Placez-vous de préférence face au nord ou à l'est,
afin de tirer parti du champ magnétique terrestre.
Asseyez-vous confortablement en tailleur (voir
p. 17), dos et nuque formant une ligne droite.
La position assise a pour effet de ralentir le
métabolisme, les ondes cérébrales et la respiration.

LES MAINS EN COUPE
*Posez la main droite sur
la gauche, paumes tournées
vers vous.*

LES MAINS CROISÉES
*Vous pouvez également croiser
souplement les mains.*

CONTRÔLER L'ESPRIT

L'esprit est par nature
fluctuant. On peut lire
dans les textes fondateurs
du yoga qu'il est plus
difficile de contrôler son
esprit que de commander
au vent. C'est la raison
pour laquelle les yogis
ont élaboré diverses
techniques qui aident
à entrer en méditation.

*La tête doit rester
pafaitement
droite*

*Le dos bien droit
permet le passage
de l'énergie dans
la colonne
vertébrale*

*L'assise
triangulaire
participe
du contrôle
de l'énergie*

*Les jambes
sont croisées
en tailleur*

*La respiration
doit être lente
et calme*

*Les mains
sont en
Chin Mudra*

1 RÉSERVEZ AU SEUL USAGE DE LA MÉDITATION une pièce de la maison ou, à défaut, une partie de cette pièce. Dressez-y un petit autel, sur lequel vous pourrez installer les images ou les symboles destinés à vous servir de support de méditation. Pour votre confort, posez au sol un coussin ou un tapis. Avec la pratique, votre lieu de méditation se chargera d'énergie positive.

L'AUBE EST PROPICE À LA MÉDITATION

2 RÉSERVEZ UN MOMENT DE LA JOURNÉE à la méditation, de préférence à l'aube ou au crépuscule, lorsque l'atmosphère est chargée d'énergie spirituelle. Il vous sera ainsi plus aisé d'accéder à la méditation aux premières heures du jour, alors que votre environnement est paisible et que vous n'avez pas encore entrepris votre activité quotidienne.

3 ASSEYEZ-VOUS CHAQUE JOUR dans l'attitude de la méditation, d'abord 20 minutes, puis progressivement jusqu'à 1 heure. Pendant ce temps, efforcez-vous d'oublier le passé, le présent et l'avenir. Recherchez sans tension inutile la paix de l'esprit. Au début, il pourra vous paraître assez difficile de le contrôler, mais vous parviendrez à vous concentrer avec la circulation du prana. Essayez de prendre un peu de recul, comme pour observer attentivement votre activité mentale.

MÉDITEZ 20 MINUTES AU DÉBUT

AUGMENTEZ JUSQU'À 1 HEURE

4 CONTRÔLEZ CONSCIEMMENT VOTRE RESPIRATION. Débutez par quelques minutes de respiration profonde, qui oxygéneront le cerveau, puis ralentissez le rythme, lequel doit demeurer régulier : 3 secondes d'inspiration, suivies de 3 secondes d'expiration. Vous régulariserez ainsi la circulation du prana.

5 DÉSINTÉRESSEZ-VOUS des objets environnants, jusqu'à ne plus avoir conscience du monde extérieur. Détachez-vous de celui-ci, en «retirant» votre énergie de vos yeux et de vos oreilles, de façon qu'aucun stimulus ne parvienne au cerveau. Fermez les yeux et «tournez» votre regard vers l'intérieur, en fixant votre attention sur un point.

6 CHOISISSEZ UN POINT sur lequel vous concentrer. Il peut s'agir d'Ajna chakra – entre les deux yeux –, pour les plus intellectuels, ou d'Anahata chakra – le centre du cœur –, pour les natures plus affectives. Ce point une fois choisi, n'en changez plus lors de vos séances de méditation.

AJNA CHAKRA

ANAHATA CHAKRA

7 CONCENTREZ-VOUS sur un objet ou sur un son neutre, ou propre à élever l'esprit – un mantra, par exemple –, et essayez de le « fixer » au niveau de concentration que vous avez choisi. S'il est impossible de se « vider » l'esprit, cette technique aide à se concentrer. En ce qui concerne le mantra (quand vous en avez choisi un, tenez-vous-y), répétez-le au rythme de la respiration. Si vous ne possédez pas de mantra, utilisez Om.

SYMBOLE OM

8 LA RÉPÉTITION D'UN MANTRA aide à purifier l'esprit. Au bout d'un certain temps, le son « s'empare » de la pensée, fusionne avec elle, la maintenant détachée du monde extérieur. La répétition à haute voix d'un mantra participe à la pensée pure, ou à l'état transcendantal.

9 AU DÉBUT, le fait de parvenir à la méditation transcendantale ne dissipe pas totalement l'ego : sujet et objet continuent à coexister sous une forme subtile. La pratique aidant, cette dualité disparaît et l'individu atteint l'état de supraconscience du Samadhi.

PERLES DU MALA POUR COMPTER LES MANTRAS

10 LE SAMADHI est un état au-delà du temps, de l'espace et des événements, où règne l'Unité totale par transcendance du corps et de l'esprit. C'est l'expérience supraconsciente de l'Absolu, ou de l'Esprit universel, que connaissent les saints et les mystiques.

LES SUPPORTS DE LA MÉDITATION

Que ce soit chez vous ou en pleine nature, choisissez pour méditer un endroit calme et retiré, à température moyenne. Ces conditions réunies, il ne vous faudra guère plus qu'une attitude appropriée et la volonté d'élargir votre horizon intérieur.

L'ESPACE DU SACRÉ

Le lieu consacré à la méditation doit être propre et rangé. Des fleurs fraîches, un autel couvert d'un linge propre sont propices à la méditation. Maintenez allumée une lampe à huile ou une bougie sur l'autel pour bien purifier l'environnement, ou allumez-la au début de chacune de vos séances. Ajoutez quelques photographies, icônes, statues ou encore symboles significatifs pour vous.

UNE ASSISE CONFORTABLE
Asseyez-vous devant l'autel, sur un tapis ou un petit coussin, lequel, placé sous les fesses, soulagera d'éventuelles tensions au niveau des genoux.

L'ENCENS
Faites brûler de l'encens ou du bois de santal. Celui-ci se consume et contribue à apaiser l'esprit.

BOUGIE OU LAMPE À HUILE
La flamme qui s'élève symbolise le fait que vous êtes prêt à vous accorder sur votre lumière intérieure.

JAPA MALA
Le mala de 108 grains sert à compter le nombre des répétitions du mantra. Le chapelet tenu dans la main droite, égrenez-le entre le pouce et le majeur (n'utilisez pas l'index, qui représente l'ego), en comptant les perles.

LES FLEURS FRAÎCHES
Le lieu de méditation doit demeurer propre et sattvique (pur). Renouvelez chaque jour un bouquet de fleurs qui symbolisera l'élévation de l'âme et contribuera à créer une atmosphère propice à la méditation.

LE CHRIST
Selon votre religion, placez sur l'autel une représentation du Christ, de Krishna, etc., laquelle personnalisera votre pratique et contribuera à créer une atmosphère propice à l'élévation de l'esprit.

LE MAÎTRE
La bougie a besoin d'une flamme pour éclairer, et le débutant d'un maître pour bien assimiler les techniques et les principes de base. Son portrait vous remettra à l'esprit ses enseignements et vous aidera à vous concentrer.

LE RECOURS AUX MANTRAS

Le mot « mantra » vient du sanskrit *manas*, qui signifie « esprit », et *tra*, signifiant «traverser» ou « aller au-delà ». Un mantra est un symbole mystique lié à une structure sonore, qui, par sa répétition, aide l'esprit à franchir ses limites. Une fois que vous avez choisi un mantra, n'en changez plus. Huit mantras sont décrits ci-dessous, assortis pour certains de la représentation de la divinité hindoue à laquelle chacun est associé, autant d'aspects du Dieu unique, ou de l'Esprit universel.

L'AUTEL
Vous choisirez de placer sur une table basse quelques-uns des éléments qui favoriseront votre méditation. Si vous ne souhaitez pas y faire figurer des représentations symboliques, contentez-vous d'y poser un linge propre et un bouquet de fleurs.

OM NAMO NARAYANAYA
(aoom na-moo na-raa-ya-naa-ya) Associé à Vishnu, ce mantra représente la préservation de l'énergie qui maintient l'Univers en équilibre. Il convient à la période actuelle qui voit les énergies négatives échapper au contrôle humain.

OM SRI MAHA LAKSHMYAI NAMAH
(aoom shri ma-ha laksh-meyay na-mah) Lakshmi est considéré comme le dieu qui prend la forme de la Mère nourricière. Celle-ci est la source de tous les bienfaits, et la dispensatrice de la santé, de la paix intérieure et de la prospérité spirituelle.

SOHAM
(soo-ham) C'est le mantra philosophique ou védantique. Il signifie : « Je suis ce que je suis », au-delà des limites, uni à l'Absolu. C'est aussi le son naturel de la respiration : inspiration (so), expiration (ham).

OM
(aoom) Il s'agit du plus élevé et du plus abstrait des mantras. Om est le Shabdabrahman, le son originel qui a présidé à la création de l'Univers, ce que les scientifiques désignent aujourd'hui sous le nom de « Big Bang ». Om est la racine de tous les sons, de toutes les vibrations, de tous les mantras.

OM NAMO BHAGAVATE VASUDEVAYA
(aoom na-mo bha-ga-va-tay vaa-soo-dev-aya) Krishna est considéré comme le professeur du monde ; il est à l'origine du Bhagavad Gita, l'un des grands textes du yoga.

OM NAMAH SHIVAYA
(aoom na-mah shivaa-ya) Comme Nataraja, le Danseur cosmique, Shiva préside au cycle destruction/recréation de l'Univers, aux mouvements de l'énergie qui détruit le soi inférieur et permet l'épanouissement intérieur.

OM GAM GANAPATAYE NAMAH
(aoom gam ga-na-pa-ta-yay na-mah) Ganapathi est l'autre nom de Ganesha, la divinité à tête d'éléphant à laquelle on attribue la faculté de lever les obstacles et d'apporter le succès.

OM SRI DURGAYAI NAMAH
(aoom shri dur-ga-yei-na-mah) En Durga, nous voyons Dieu comme la Mère, la divine protectrice, celle qui tient les pouvoirs de l'Univers. Elle chevauche un lion, symbole des forces de la nature.

GLOSSAIRE

Les entrées en *italique* font l'objet d'un article du glossaire.

AJNA CHAKRA Le sixième *chakra* ; c'est le « troisième œil », situé entre les deux yeux.

ANAHATA CHAKRA Le quatrième *chakra,* au centre du cœur.

ASANA « Posture » ou « siège », exercice physique du yoga permettant d'améliorer le contrôle du corps et de l'esprit.

ASHANTAGA YOGA Synonyme de *Raja Yoga* ; signifie à huit étapes, ou membres.

BASTI Toilette du côlon. L'un des six *kriyas.*

BHAGAVAD GITA Texte hindou qui résume la philosophie du yoga.

BHAKTI YOGA La voie de la dévotion. Elle comporte des pratiques telles qu'incantations et prières, lesquelles subliment les émotions et les orientent vers la dévotion.

BRAHMAN Dieu, ou l'Esprit universel, ou encore l'Absolu.

CHAKRAS Les sept centres d'énergie dans le corps astral – points de rencontre des *nadis*, ou conduits nerveux. Ils sont répartis le long de la colonne vertébrale et au sommet du crâne.

CHIN MUDRA *Mudra*, ou position de la main, reliant le pouce et l'index.

CORPS ASTRAL C'est le corps subtil, siège du *prana*, de l'esprit – intellect et émotions.

CORPS CAUSAL Le plus subtil des trois corps. Il est à la source du *karma*, qui détermine la destinée d'un être.

DHAUTI *Kriya* consistant à avaler un tissu pour nettoyer la bouche, l'œsophage et l'estomac.

DIAPHRAGME Muscle très large et mince qui sépare le thorax de l'abdomen, et dont les mouvements commandent la respiration.

EDAKASI Les yogis choisissent de préférence pour jeûner les jours d'Ekadasi, soit onze jours après chaque nouvelle et pleine lune.

GERUNDA SAMHITA L'un des textes essentiels du *Hatha Yoga.*

GUNAS Les trois qualités constitutives de la Nature : *Sattva, Rajas* et *Tamas.* Dans la philosophie du yoga, tout est constitué de Gunas, dans des proportions différentes.

HATHA YOGA Du sanskrit *Ha*, « soleil », et *Tha*, « lune ». Le Hatha Yoga représente l'union de deux opposés. C'est la première partie technique du yoga, laquelle comprend *asanas, pranayama* et *kriyas*, mais également des pratiques relevant du *Raja Yoga*, comme la *méditation.*

HATHA YOGA PRADIPIKA L'un des textes du *Hatha Yoga*, que l'on doit au grand yogi Swatmarama.

IDA L'un des trois grands méridiens du corps astral. Conduit subtil aboutissant à la gauche du *Sushumna*, dans lequel le *prana* circule pendant la moitié de la journée.

JAPA Répétition d'un *mantra.*

JNANA YOGA La voie de la connaissance. La pratique du Jnana Yoga implique généralement l'étude de la philosophie du *Vedanta* des *Upanishad.*

KAPALABHATI Respiration abdominale qui purifie l'appareil respiratoire. L'un des six *kriyas.*

KARMA Littéralement « action ». Loi de cause à effet : tout ce qui advient à l'individu résulte de ses actions passées ou de sa vie antérieure.

KARMA YOGA La voie du service désintéressé. En agissant sans rien attendre en retour, le yogi s'efforce de se libérer de l'enchaînement apparemment infini des naissances et des morts.

KRIYAS Ensemble des six pratiques de purification : *Neti, Nauli, Dhauti, Basti, Kapalabhati* et *Tratak.*

KUNDALINI L'énergie cosmique primordiale, ou *Shakti*, potentiellement disponible en chacun de nous.

MALA Chapelet de 108 grains que l'on égrène pour aider à la concentration de l'esprit pendant la *méditation.*

MANIPURA CHAKRA Le troisième *chakra*, correspondant au *plexus solaire.*

MANTRA Syllabe, mot ou phrase mystique que l'on répète pour parvenir à trouver la concentration de l'esprit pendant la *méditation. Om* est le plus connu des mantras.

MAYA L'illusion. Les yogis considèrent que le monde entier est le jeu de Maya, une divine illusion.

MÉDITATION État de conscience caractérisé par l'immobilité et le calme intérieur, et qui, dans son parfait accomplissement, permet l'accès spirituel suprême.

MUDRA Position de la (ou des) main(s) qui canalise le *prana* dans des directions spécifiques.

MULADHARA CHAKRA Le premier *chakra*, à la base de la colonne vertébrale.

NADIS Conduits nerveux dans le *corps astral*, correspondant aux méridiens d'acupuncture. On en dénombre quelque 72 000. Les trois plus importants sont *Ida*, *Pingala* et *Sushumna*.

NAULI L'un des six *kriyas*, qui réalise un massage énergique de l'abdomen.

NERF SCIATIQUE Un des principaux nerfs de l'arrière de la jambe, qui suit la fesse et la cuisse. On appelle « sciatique » une inflammation douloureuse de ce nerf.

NETI *Kriya* du nez et des sinus.

OJAS SHAKTI Énergie spirituelle.

OM Syllabe sacrée qui symbolise Dieu en tant qu'Absolu. Om est le *mantra* originel qui contient tous les autres mantras et sons.

PINGALA Un des trois principaux *nadis*, ou conduits nerveux astraux, situé dans la partie droite du *Sushumna*. Correspond au nerf sympathique dans le corps physique.

PLEXUS SOLAIRE Réseau de nerfs situé immédiatement derrière l'estomac.

PRANA Énergie ou force vitale. Circule dans le *corps astral* par l'intermédiaire des *nadis*.

PRANAYAMA Exercices de respiration « yoga » destinés à purifier et fortifier le corps et l'esprit. Dans ses étapes avancées, pranayama permet au pratiquant de contrôler le flux du *prana*.

RAJA YOGA La « voie royale » du yoga, ou voie de la *méditation*. Également appelée *Ashtanga Yoga*, lorsqu'il s'agit de l'approche scientifique du yoga.

RAJAS *Guna* de l'hyperactivité et de la passion. Les yogis s'efforcent d'éviter les aliments et les situations rajasiques.

RÉGION CERVICALE Désigne les 7 vertèbres supérieures qui supportent la tête.

RÉGION LOMBAIRE Désigne les 5 vertèbres de la partie inférieure du dos qui supportent l'essentiel du poids du corps.

RÉGION SACRÉE Désigne les 5 dernières vertèbres du dos. Elles sont soudées et font partie de la ceinture pelvienne.

RÉGION THORACIQUE La colonne vertébrale compte 12 vertèbres dans la région du thorax, sur lesquelles s'articulent les côtes. C'est une région relativement rigide.

SADHANA Pratique spirituelle.

SAHASRARA CHAKRA Le septième *chakra*, le plus élevé, représenté par une fleur de lotus à mille pétales. C'est là où le yogi unit son moi à Dieu.

SAMADHI L'état de supraconscience dans lequel celui qui médite abandonne son ego.

SAMSKARA Empreinte subtile de tous les événements survenus dans les vies présente et passées de l'individu. Les samskaras s'accumulent dans le corps causal sous la forme du *karma*.

SANSKRIT Souvent désigné comme le « langage des dieux », le sanskrit est probablement l'une des plus anciennes langues connues. Le yoga emploie des termes sanskrits qu'il est parfois difficile de traduire avec précision.

SATTVA *Guna* de la pureté et de la légèreté. Ceux qui pratiquent le yoga s'efforcent d'adopter une alimentation et un mode de vie le plus sattviques possible.

SHAKTI L'énergie cosmique primordiale, représentée par *Kundalini*.

SHIVA La divine inspiration du yoga. La plupart des traités classiques de *Hatha Yoga* sont présentés comme un exposé de Shiva, le grand yogi, à son épouse Parvati.

SUSHUMNA Le plus important des *nadis*. Le *prana* ne se trouve dans le Sushumna que durant la *méditation*. L'un des intérêts de la respiration alternée (voir p. 113) est d'aspirer le prana dans le Sushumna.

SWADHISHTANA CHAKRA Le deuxième *chakra*, situé dans la région génitale.

TAMAS *Guna* de la léthargie et de l'inertie. Les yogis s'efforcent d'éviter aliments et situation tamasiques.

TRANSCENDANTAL Qualité de ce qui va bien au-delà des limites de l'esprit ; Toute *méditation* est par essence transcendantale.

TRATAK *Kriya* et technique de concentration, le tratak réalise une profonde purification de la région des yeux, des sinus et du front.

UPANISHAD Textes anciens rédigés en *sanskrit* et exposant l'essentiel de la philosophie du *Vedanta*.

VAIRAGYA Le rejet de la passion. Préalable essentiel à *Sadhana*, Vairagya suit l'acquisition de *Viveka*, le discernement.

VEDANTA Advaita Vedanta, ou philosophie moniste complète. L'une des six grandes écoles philosophiques hindoues, dont le philosophe et poète du IXe siècle Adi Sankaracharya est l'un des grands noms.

VERTÈBRES La colonne vertébrale en compte 24, soit, de haut en bas, 7 cervicales, 12 thoraciques et 5 lombaires, auxquelles s'ajoutent sacrum et coccyx.

VISHNU MUDRA Position de la main utilisée dans la respiration alternée (voir aussi *Mudra*).

VISHUDDHA CHAKRA Le cinquième centre d'énergie dans le *corps astral*, situé à la base de la gorge.

VIVEKA Discernement spirituel. C'est la faculté de distinguer le réel de l'irréel, le permanent du changeant.

INDEX

CRÉDITS ILLUSTRATIONS

DESSINS ET SCHÉMAS
Joanna Cameron 29, 37, 39, 49, 53, 65, 69, 73, 85, 89, 91, 99, 101 ; Simone End 125 ; Rodney Shackell 1, 3, 7, 9, 10, 68, 109 haut gauche, 110, 111 centre droite, 124, 126 bas gauche, 127, 150 bas gauche, 154-155, 156, 159 ; Colin Walton 8–9, 126 bas droite ; John Woodcock ; 38, 40, 48, 60, 63, 64, 72, 76, 82, 88, 90, 94.

PHOTOGRAPHIES DES MODÈLES
Andy Crawford et Steve Gorton

PHOTOGRAPHIES DES PLATS ET DES INGRÉDIENTS
Clive Streeter et Colin Walton

TOUTES LES AUTRES PHOTOGRAPHIES SONT DE
Jane Burton, Geoff Dann, Steve Gorton, Frank Greenaway, Chas Howson, Dave King, Steven Oliver, Jane Stockman, Colin Walton et Jerry Young,
à l'exception des suivantes : Biofotos / Heather Angel 156 haut gauche ; Bruce Coleman 116–117 / Jules Cowan 12–13 ; Ecoscene / Sally Morgan 127 haut centre ; Robert Harding Picture Library 152–153 ; Holt Studios 127 haut gauche ; Image Bank 118 bas gauche / G&M David de Lossy 151 bas gauche / Frank Whitney 159 centre gauche ; Images Colour Library 111 haut gauche ; Pictor 119 centre gauche ; Pictures Colour Library 106–107 ; Science Photo Library 109 haut droite / Dr Tony Brain 108 bas gauche / CNRI 157 haut gauche ; Tony Stone / Tony Page 121 bas droite / Charles Thatcher 119 centre droite ; Zefa Pictures 109 bas gauche, 110 gauche, 118 bas droite, 122–123.

ADRESSES UTILES

ALLEMAGNE Sivananda Yoga Vedanta Zentrum, Steinheilstr. 1, D-80333 Munich, Tél : (089) 52-44-76 / 52-17-35.

AUTRICHE Sivananda Yoga Vedanta Zentrum, Rechte Wienzeile 29-3-9, A-1040 Vienne, Tél : (01) 586-3453.

CANADA Centre Sivananda Yoga Vedanta, 5178 Boulevard Saint-Laurent, Montréal, Québec H2T 1R8, Tél : (514) 279-3545. Sivananda Yoga Vedanta Centre, 77 Harbord Street, Toronto, Ontario M5S 1G4, Tél : (416) 966-9642. Sivananda Ashram Yoga Camp, 8th Avenue, Val Morin, Québec JOT 2RO, Tél : (819) 322-3226.

ESPAGNE Centro de Yoga Sivananda Vedanta, Calle Eraso 4, S-28028 Madrid, Tél : (01) 402-7467.

FRANCE Centre de Yoga Sivananda Vedanta, 123, Boul. Sébastopol, F-75002 Paris, Tél : 01-40-26-77-49.

GRANDE-BRETAGNE Sivananda Yoga Vedanta Centre, 51 Felsham Road, Londres SW15 1AZ, Tél : (0181) 780-0160.

SUISSE Centre de Yoga Sivananda Vedanta, 1, rue des Minoteries, CH-1205 Genève, Tél : (022) 328-0328.